AGATHA CHRISTIE

O DETETIVE PARKER PYNE

Tradução
Carmen Ballot

Rio de Janeiro, 2024

Copyright © 1934. Todos os direitos reservados.
Copyright da tradução © 2003 por Casa dos Livros Editora LTDA

Título original: *Parker Pyne Investigates*

AGATHA CHRISTIE, TOMMY AND TUPPENCE and the AC Monogram Logo are registered trademarks of Agatha Christie Limited in the UK and elsewhere. All rights reserved. Descubra mais em www.agathachristie.com.

Todos os direitos desta publicação são reservados à Casa dos Livros Editora LTDA. Nenhuma parte desta obra pode ser apropriada e estocada em sistema de banco de dados ou processo similar, em qualquer forma ou meio, seja eletrônico, de fotocópia, gravação etc., sem a permissão dos detentores do copyright.

REVISÃO *Anna Beatriz Seilhe*
DESIGN DE CAPA *Felipe Rosa*
PROJETO GRÁFICO E DIAGRAMAÇÃO *Abreu's System*

Dados Internacionais de Catalogação na Publicação (CIP)
(Câmara Brasileira do Livro, SP, Brasil)

Christie, Agatha, 1890-1976
  Detetive Parker Pyne / Agatha Christie; tradução Carmen Ballot. – 1. ed. – Duque de Caxias, RJ: HarperCollins Brasil, 2021.

Título original: Parker Pyne Investigates
ISBN 978-65-5511-144-6

1. Ficção de suspense 2. Ficção inglesa I. Título.

21-60728   CDD-823

HarperCollins Brasil é uma marca licenciada à Casa dos Livros Editora Ltda. Todos os direitos reservados à Casa dos Livros Editora LTDA.

Rua da Quitanda, 86, sala 601A - Centro,
Rio de Janeiro/RJ - CEP 20091-005
Tel.: (21) 3175-1030
www.harpercollins.com.br

Printed in China

SUMÁRIO

O caso da esposa de meia-idade 7
O caso do soldado insatisfeito 21
O caso da senhora angustiada 41
O caso do marido desgostoso 52
O caso do empregado de escritório 67
O caso da milionária 83
Você tem tudo o que quer? 100
O Portão de Bagdá 115
A casa de Shiraz 133
Uma pérola valiosa 147
Morte no Nilo 161
O Oráculo de Delfos 177

O caso da esposa de meia-idade

Quatro grunhidos, uma voz indignada perguntando por que ninguém conseguia deixar um chapéu no lugar, uma porta fechada com estrondo e o sr. Packington saiu para pegar o trem das 8h45 para a cidade. A sra. Packington continuou sentada à mesa do café. Tinha o rosto ruborizado e os lábios apertados, e só não chorava porque, no momento, a mágoa tinha sido substituída pela raiva.

— Não aguento mais — disse ela. — Não aguento mais! — Ficou pensativa por alguns momentos e depois murmurou: — Aquela sirigaita. Que mulherzinha hipócrita e indecente! Como George pode ser tão estúpido!

A raiva passou; voltou a mágoa. As lágrimas encheram os olhos da sra. Packington e rolaram lentamente pelo seu rosto de mulher madura.

— É muito fácil dizer que não aguento mais, mas o que é que eu posso fazer?

De repente, sentiu-se sozinha e indefesa, completamente abandonada. Com gestos lentos, pegou o jornal e leu — não pela primeira vez — um anúncio na primeira página:

CONFIDENCIAL
VOCÊ É FELIZ? SE NÃO FOR, CONSULTE O SR. PARKER PYNE. RUA RICHMOND, 17.

— Absurdo! Completamente absurdo! — disse a sra. Packington. — Enfim, não custa tentar...

Eis por que, às onze horas da manhã, a sra. Packington, um pouco nervosa, entrou no escritório particular do sr. Parker Pyne.

Ela estava nervosa, sim, mas a simples visão do sr. Parker Pyne deu-lhe uma impressão de segurança. Ele era forte, para não dizer gordo; tinha uma cabeça calva de nobres proporções, óculos de lentes grossas e pequenos olhos brilhantes.

— Sente-se, por favor — disse o sr. Parker Pyne. — Veio por causa do anúncio? — perguntou, para ajudá-la.

— Sim — disse a sra. Packington, e não disse mais nada.

— E não é feliz — sugeriu o sr. Parker Pyne numa voz jovial e prática. — Muito poucas pessoas o são. A senhora ficaria surpresa se soubesse como são poucas as pessoas felizes.

— É mesmo? — perguntou a sra. Packington sem convicção e pouco se importando que as outras pessoas fossem ou não infelizes.

— Sei que isso não lhe interessa — comentou o sr. Parker Pyne —, mas *a mim* interessa muito. Veja a senhora que, durante 35 anos da minha vida, eu só fiz compilar estatísticas numa repartição do governo. Agora que me aposentei, me ocorreu a ideia de aproveitar, de uma maneira diferente, toda a experiência que adquiri. É tudo muito simples. As desgraças todas podem ser classificadas em cinco tipos principais, nem mais nem menos, posso afirmar. Uma vez conhecida a causa de uma doença, a cura passa a ser perfeitamente possível. Eu me coloco no papel de um médico. Primeiro ele diagnostica o mal do paciente, depois prescreve o tratamento. Há casos em que nenhum tratamento dá resultado. Quando é assim, digo com toda a franqueza que não posso fazer nada. Mas lhe garanto, sra. Packington, que, se eu tomar conta de seu caso, a cura é praticamente certa.

"Seria possível? Seria uma tolice ou, quem sabe, poderia ser verdade?" A sra. Packington olhou esperançosa para ele.

— Podemos diagnosticar o seu caso? — indagou o sr. Parker Pyne sorrindo. Recostou-se na cadeira, juntando as pontas dos dedos das mãos. — O problema diz respeito a seu marido. De um modo geral, a senhora teve um casamento feliz. Creio que seu marido prosperou. Supo-

nho que haja uma jovem neste caso... talvez uma moça que trabalhe no escritório de seu marido.
— Uma datilógrafa — disse a sra. Packington.
— Uma sirigaitazinha falsa e indecente, cheia de batom, meias de seda e cachinhos.
As palavras saíram aos borbotões.
O sr. Parker Pyne balançou a cabeça de maneira apaziguadora.
— Não há nada de mal nisso... certamente é o que o seu marido diz...
— São exatamente as suas palavras.
— E por que não poderia ele manter uma amizade pura com essa moça e proporcionar um pouquinho de alegria e prazer a sua existência tão monótona? Pobre menina! Ela se diverte tão pouco... Suponho que seja isso que ele lhe diz.
A sra. Packington fez que sim com a cabeça, vigorosamente.
— Um embuste... tudo um embuste! Ele a leva ao rio... eu também gosto de ir ao rio, mas há uns cinco ou seis anos ele me disse que isso atrapalhava o seu golfe. Agora ele deixou o golfe de lado por causa *dela*. Eu gosto de teatro, mas George vivia dizendo que estava muito cansado para sair à noite. Agora sai com ela para dançar... *dançar!* E volta às três da madrugada! Eu... eu...
— E sem dúvida ele lamenta o fato de que as mulheres sejam tão ciumentas... tão injustificavelmente ciumentas, quando não há nenhum motivo para o ciúme?
Novamente a sra. Packington fez que sim com a cabeça.
— É isso mesmo. Como o senhor sabe disso? — perguntou ela, secamente.
— Estatísticas — respondeu o sr. Parker Pyne com simplicidade.
— Eu sou tão infeliz — disse a sra. Packington. — Sempre fui uma esposa dedicada. Gastei as minhas unhas até o sabugo nos primeiros anos de nossa vida. Eu o ajudei a vencer. Nunca olhei para outro homem. Suas roupas estão sempre em ordem, a comida é boa,

cuido muito bem da casa, e com economia. E agora que superamos as dificuldades e poderíamos nos divertir, sair um pouco e fazer todas as coisas que eu tinha vontade de fazer algum dia... acontece isso! — Ela engoliu em seco.
O sr. Parker Pyne concordou gravemente.
— Pode ficar certa de que compreendo perfeitamente o seu caso.
— E... pode fazer alguma coisa? — ela quase sussurrou a pergunta.
— Certamente, minha cara senhora. Há cura. Certamente que há cura.
— E qual é?
Ela aguardava ansiosa, os olhos arregalados.
O sr. Parker Pyne falou com uma voz calma e firme:
— A senhora vai se colocar em minhas mãos, e meus honorários serão de duzentos guinéus.
— Duzentos guinéus!
— Exatamente. A senhora pode pagar isso, sra. Packington. Pagaria por uma operação. A felicidade é tão importante quanto a saúde do corpo.
— Suponho que vou pagar depois.
— Pelo contrário — disse o sr. Parker Pyne. — A senhora vai me pagar adiantado.
A sra. Packington se levantou.
— Não vejo por quê...
— A senhora teme comprar gato por lebre? — disse o sr. Pyne jovialmente. — Bem, talvez tenha razão. É muito dinheiro para arriscar. A senhora tem que confiar em mim. Pagar e correr o risco. São essas as minhas condições.
— Duzentos guinéus!
— Exatamente. Duzentos guinéus. É muito dinheiro. Bom dia, sra. Packington. Avise-me se mudar de ideia.
— Apertou-lhe a mão, sorrindo, imperturbável.
Depois que ela saiu, apertou um botão na mesa. Uma moça de óculos e ar severo respondeu ao chamado.

— Um fichário, por favor, srta. Lemon. E pode também avisar a Claude que eu talvez precise dele em breve.
— Uma nova cliente?
— Uma nova cliente. Por enquanto ela está relutante, mas vai voltar. Provavelmente hoje à tarde, lá pelas quatro horas. Pode fazê-la entrar.
— Esquema A?
— Esquema A, é lógico. É engraçado como todo mundo pensa que o seu próprio caso é único. Bom, avise Claude. Diga-lhe para não parecer muito exótico. Nada de perfume, e é melhor ele cortar o cabelo.

Eram 16h15 quando a sra. Packington entrou de novo no escritório do sr. Parker Pyne. Tirou da bolsa um talão de cheques, preencheu um deles e o entregou. Em troca, obteve um recibo.

— E agora? — A sra. Packington olhou esperançosa para ele.

— Agora — disse o sr. Pyne sorrindo —, a senhora vai voltar para casa. Pelo primeiro correio de amanhã vai receber algumas instruções que eu gostaria muito de ver cumpridas.

A sra. Packington voltou para casa num estado de alegria antecipada. O sr. Packington voltou com ar defensivo, pronto para discutir a situação, caso a cena da manhã fosse reaberta. Ficou aliviado, entretanto, ao ver que a mulher não estava com espírito combativo. Ela parecia estranhamente pensativa.

George ficou ouvindo rádio, imaginando se a pobre e querida Nancy consentiria que ele lhe desse um casaco de pele. Ele sabia que ela era muito orgulhosa. Não queria ofendê-la. No entanto, ela se queixara do frio. Aquele casaco de lã era tão ordinário; nem a protegia do frio. Talvez ele conseguisse convencê-la, talvez...

Breve eles sairiam juntos à noite novamente. Era um prazer sair com uma moça assim, e levá-la a um dos restaurantes da moda. Ele se sentia invejado por muitos rapazes. Ela era extraordinariamente bonita. E gostava

dele. Para ela, como já dissera, ele não era nem um pouquinho velho.
Levantou os olhos e percebeu o olhar da mulher. Sentiu-se repentinamente culpado, e isso o aborreceu. Que mulher intolerante era Maria! Negava-lhe até um pinguinho de felicidade.
Desligou o rádio e foi para a cama.
A sra. Packington recebeu duas cartas inesperadas na manhã seguinte. Uma delas era um impresso, confirmando uma hora marcada num conhecido especialista de beleza. A segunda marcava uma hora com uma costureira. A terceira era do sr. Parker Pyne, solicitando o prazer de sua companhia para um almoço no Ritz naquele dia.
O sr. Packington avisou que talvez não pudesse vir jantar em casa, pois tinha que ver um homem de negócios. A sra. Packington abanou a cabeça distraidamente, e ele saiu de casa satisfeito por ter escapado da tempestade.
O especialista de beleza foi admirável.
— Mas que negligência! *Por quê?* Por quê, Madame? Há muito tempo que a senhora devia ter feito alguma coisa. Felizmente, ainda não é tarde!
Uma porção de coisas foram aplicadas sobre o seu rosto, que foi massageado, apertado e tratado com vapor. Aplicaram-lhe cremes diversos. Passaram pó de arroz. E depois houve uma série de retoques finais.
Por fim lhe deram um espelho.
"Acho que estou mesmo parecendo mais moça", pensou ela.
A hora com a costureira foi igualmente excitante. Saiu de lá se sentindo elegante, atualizada, no rigor da moda.
Às 13h30, a sra. Packington chegava ao Ritz. O sr. Parker Pyne, impecavelmente vestido, e envolto em sua aura de serena confiança, estava esperando por ela.
— Encantadora — disse, com um olho experiente a examiná-la da cabeça aos pés. — Antecipei-me e mandei vir um White Lady.

A sra. Packington não tinha o hábito de tomar coquetéis, mas não disse nada. Enquanto bebia cautelosamente o excitante líquido, ouvia o seu paciente instrutor.

— Seu marido, sra. Packington — disse o sr. Pyne —, vai ser obrigado a *ficar alerta*. Compreendeu? *Ficar alerta*. Para ajudá-la, vou apresentá-la a um jovem amigo meu. A senhora vai almoçar com ele hoje.

Nesse instante, entrou um rapaz, olhando de um lado para o outro. Ao avistar o sr. Parker Pyne, caminhou em sua direção, com elegância.

— O sr. Claude Luttrell, sra. Packington.

O sr. Claude Luttrell talvez ainda não tivesse trinta anos. Era atraente, desembaraçado, impecavelmente vestido, extremamente bonito.

— Muito prazer em conhecê-la — murmurou.

Três minutos depois, a sra. Packington estava frente a frente com seu novo mentor, numa pequena mesa para dois.

Estava um pouco tímida no início, mas o sr. Luttrell logo a colocou à vontade. Ele conhecia Paris muito bem e passara um bom tempo na Riviera. Perguntou à sra. Packington se ela gostava de dançar. Ela disse que sim, mas quase não saía para dançar atualmente porque o marido não gostava muito de sair à noite.

— Mas ele não pode ser tão cruel assim, a ponto de *prendê-la* em casa — disse Claude Luttrell, sorrindo e mostrando uma deslumbrante fileira de dentes. — As mulheres não devem mais tolerar o ciúme masculino em nossos dias.

A sra. Packington quase disse que o problema não era o ciúme, mas as palavras não saíram. Apesar de tudo, a ideia era agradável.

Claude Luttrell falou superficialmente de boates. Ficou combinado que, na noite seguinte, a sra. Packington e o sr. Luttrell iriam conhecer o popular Arcanjo Menor.

A sra. Packington se sentia um pouco nervosa ante a perspectiva de anunciar o fato ao marido. Imaginou que George ia achar muito estranho e talvez ridículo. Mas teve sorte. Estava muito nervosa para falar com ele durante o café da manhã, e lá pelas duas da tarde um telefonema lhe informou que o sr. Packington ia jantar na cidade. A noitada foi um sucesso. A sra. Packington dançava muito bem quando era jovem, e, sob a sábia orientação de Claude Luttrell, não demorou a aprender os passos modernos. Ele lhe deu os parabéns pelo vestido e pelo penteado. (Tinham lhe marcado uma hora naquela manhã com um dos cabeleireiros da moda.) Ao se despedir, ele beijou-lhe a mão de uma maneira emocionante. Havia muitos anos que a sra. Packington não passava uma noite tão divertida.

Seguiram-se dez dias fantásticos. A sra. Packington almoçava, lanchava, dançava tango, jantava, valsava e ceava. Ficou sabendo tudo sobre a triste infância de Claude Luttrell. Conheceu as desafortunadas circunstâncias nas quais o pai perdera todo o seu dinheiro. Ouviu a história do trágico romance que lhe amargurava em relação às mulheres em geral.

No décimo primeiro dia, eles foram dançar no Almirante Vermelho. A sra. Packington avistou o marido antes que ele a visse. George estava com a moça do escritório. Os dois casais estavam dançando.

— Olá, George — disse baixinho a sra. Packington, quando passou por ele.

Foi com grande satisfação que ela viu o rosto de seu marido ficar primeiro vermelho e depois roxo de espanto. Além do espanto, havia uma expressão de culpa.

A sra. Packington se divertiu ao ver-se dona da situação. "Coitado do George!" De volta à mesa, ela se pôs a observá-lo. "Como estava gordo e careca, e como cambaleava! Seu estilo de dançar era de vinte anos atrás. Coitado, que força estava fazendo para parecer jovem! E aquela pobre moça que dançava com ele e fingia estar gostando. Ela agora parecia muito chateada, o rosto por cima do ombro dele para que ele não pudesse vê-lo."

A sra. Packington pensou muito satisfeita que a sua situação era bem mais invejável. Olhou de relance para o maravilhoso Claude, agora taticamente em silêncio. Como ele a compreendia bem! Nunca discordava dela; os maridos sempre discordam, depois de alguns anos. Tornou a olhar para ele. Seus olhos se encontraram. Ele sorriu; seus lindos olhos escuros, tão melancólicos, tão românticos, olharam ternamente dentro dos dela.

— Vamos dançar outra vez? — murmurou ele.

Dançaram novamente. Era o paraíso.

Ela sentia o olhar de desculpas de George a segui-los. Lembrava-se de que a ideia tinha sido provocar ciúmes no marido. Havia tanto tempo! Mas agora ela não queria mais isso. Poderia aborrecê-lo. Por que aborrecê-lo, afinal de contas? Coitadinho! Todo mundo estava tão feliz...

O sr. Packington já estava em casa havia uma hora quando a sra. Packington entrou. Ele parecia confuso e inseguro.

— Hum — resmungou. — Afinal você chegou.

A sra. Packington atirou longe um xale que lhe tinha custado quarenta guinéus naquela mesma manhã.

— É — disse sorrindo —, cheguei.

George tossiu.

— Er... foi estranho encontrar você.

— Foi mesmo, não é? — disse a sra. Packington.

— Eu... bem, eu pensei que seria um gesto delicado da minha parte levar aquela moça a algum lugar. Ela tem tido tantos problemas em casa. Pensei... bem, delicadeza, você compreende.

A sra. Packington fez que sim com a cabeça. "Pobre George, saltitando e se entusiasmando e tão satisfeito consigo mesmo."

— Quem era aquele camarada que estava com você? Eu não o conheço, conheço?

— Chama-se Luttrell. Claude Luttrell.

— Como foi que você o conheceu?

— Oh, alguém me apresentou — disse a sra. Packington vagamente.

— É esquisito você sair dançando por aí... na sua idade. Não vá cair no ridículo, minha querida.

A sra. Packington sorriu. Ela estava se sentindo muito satisfeita com o mundo inteiro para dar a resposta óbvia.

— Uma mudança é sempre agradável — disse amistosamente.

— Você precisa ter cuidado, sabe? Há uma porção desses dançarinos profissionais por aí. Mulheres de meia-idade às vezes fazem papéis ridículos. Estou só lhe avisando, minha cara. Não gostaria de ver você fazendo o que não deve.

— Acho muito bom o exercício — retrucou a sra. Packington.

— Hum... bom...

— Espero que você também ache — comentou ela, simpática. — O importante mesmo é a gente se sentir feliz, não é? Lembro-me de que você me disse isso há uns dez dias.

O marido olhou rapidamente para ela, mas não havia nem uma ponta de sarcasmo na sua expressão. Ela bocejou.

— Vou me deitar. Antes que eu me esqueça, George, tenho sido horrivelmente extravagante nesses últimos dias. Algumas contas terríveis vão chegar. Você não se importa, não é?

— Contas? — perguntou o sr. Packington.

— É. Vestidos. E massagens. E tratamento para os cabelos. Horrivelmente extravagante... mas sei que você não se importa...

Ela subiu as escadas. O sr. Packington ficou de boca aberta. Maria tinha sido maravilhosamente gentil em relação ao que acontecera aquela noite; parecia não ter

dado a menor importância. Mas era uma pena que de repente ela começasse a gastar dinheiro. Maria, um modelo de economia!
Mulheres! George Packington balançou a cabeça. As confusões em que os irmãos daquela garota tinham se metido nos últimos dias... Bem, ele continuava disposto a ajudá-la. Apesar de tudo... bolas! As coisas já não estavam indo assim tão bem lá pela cidade.
Suspirando, o sr. Packington subiu as escadas devagar. Às vezes, só mais tarde prestamos atenção a palavras que, na hora, não pareceram importantes. Só na manhã seguinte certas palavras que o sr. Packington disse entraram realmente na consciência de sua mulher.
Dançarinos profissionais; mulheres de meia-idade; cair no ridículo.
A sra. Packington era uma mulher corajosa. Sentou-se e enfrentou os fatos. Um gigolô. Ela sempre leu histórias de gigolôs nos jornais. Leu também a respeito de loucuras cometidas por mulheres de meia-idade.
"Claude seria um gigolô?" Ela imaginou que sim.
"Mas então como é que os gigolôs eram sempre pagos e era Claude quem pagava todas as despesas? Sim, mas era o sr. Parker Pyne quem pagava, não Claude; ou melhor, eram os seus próprios duzentos guinéus."
"Seria ela uma estúpida mulher de meia-idade? Será que Claude Luttrell ria dela pelas costas?" Com esse pensamento seu rosto ficou vermelho.
"Bem, e se fosse mesmo? Claude era um gigolô. Ela era uma ridícula mulher de meia-idade. Logo ela devia lhe dar um presente. Uma cigarreira de ouro, qualquer coisa do gênero."
Um impulso excêntrico levou-a até o Asprey's. Escolheu e comprou uma cigarreira. Ia se encontrar com Claude para almoçar no Claridge.
Quando tomavam o café, ela mexeu na bolsa.
— Um presentinho — murmurou.
Ele olhou para ela, franziu as sobrancelhas.

— Para mim?
— É. Eu... espero que você goste.
Ele pegou a cigarreira e a empurrou violentamente para o outro lado da mesa.
— Por que você me deu isso? Não quero. Leve de volta. Leve de volta! — Estava zangado. Seus olhos escuros faiscavam.
— Desculpe — murmurou ela, e colocou o presente de volta na bolsa.
Houve certo constrangimento entre os dois naquele dia. Na manhã seguinte ele telefonou.
— Preciso ver você. Posso ir à sua casa hoje à tarde?
Ela marcou para as três da tarde.
Claude chegou muito pálido, muito tenso. Cumprimentaram-se. O constrangimento tornou-se mais evidente.
De repente, ele se pôs de pé e ficou em frente dela.
— O que é que você pensa que eu sou? Foi isso que eu vim lhe perguntar. Nós temos sido amigos, não é mesmo? Sim, amigos... Mas, apesar de tudo, você pensa que eu sou... é, é isso mesmo, um gigolô. Uma criatura que vive à custa de mulheres. É isso que você pensa, não é?
— Não, não!
Ele interrompeu seu protesto. Seu rosto estava ainda mais pálido.
— É isso mesmo que você pensa! Bom, é verdade. Foi isso que eu vim dizer. É verdade! Eu recebi ordens para sair com você, para lhe fazer a corte, fazer você esquecer seu marido. É esse o meu emprego. Um emprego abjeto, não é?
— Por que você me contou isso tudo? — perguntou ela.
— Porque eu estou cheio dessa história toda. Não posso mais continuar. Não com *você*. Você é diferente. Você é o tipo da mulher em quem eu pude confiar, acreditar, de quem eu pude gostar. Você vai pensar que eu estou dizendo isso porque é parte do negócio — aproximou-se dela. — Vou lhe provar que não é verdade. Vou-me

embora por sua causa. Vou tentar ser um homem de verdade, em vez da criatura repulsiva que fui até hoje.

De repente, ele a tomou nos braços. Seus lábios se apertaram contra os dela. Soltou-a e se afastou um pouco.

— Adeus. Sempre fui abjeto. Sempre. Mas juro que de hoje em diante vai ser diferente. Lembra-se de que você falou uma vez que gostava de ler os anúncios pessoais? No dia de hoje, todos os anos, você vai encontrar um recado meu, dizendo que sempre me lembro de você e que continuo no bom caminho. Você vai ver então o quanto significou para mim. Mais uma coisa: não quero nada de você. Mas quero que guarde alguma recordação minha. — Tirou do dedo um anel de ouro. — Foi de minha mãe. Quero que fique com ele. Agora, adeus...

George Packington voltou cedo para casa. Encontrou a mulher sentada em frente da lareira com um olhar diferente. Falou gentilmente com ele, mas parecia estranha e alheia à sua presença.

— Olhe aqui, Maria — começou ele, aos arrancos.

— Aquela moça.

— Sim, querido?

— Eu... eu nunca quis aborrecer você, sabe. Com ela. Não há nada.

— Eu sei. Fui uma boba. Pode vê-la quantas vezes quiser, se isso o faz feliz.

Tais palavras deviam ter alegrado George Packington, é lógico. Por mais estranho que possa parecer, elas o aborreceram. Como podia ele se divertir saindo com a moça, se a sua própria mulher praticamente o obrigava a isto? Francamente, isso nem era decente! Toda aquela sensação de poder, de homem forte que brincava com fogo, se desvaneceu e morreu melancolicamente. De repente, George Packington se sentiu cansado, esvaziado. A garota era muito esperta...

— Nós podíamos sair um pouco, se você quisesse, Maria — sugeriu timidamente.

— Não se preocupe comigo. Estou muito feliz.

— Mas eu gostaria de levar você para passear; podíamos ir à Riviera.

A sra. Packington sorriu levemente.

"Pobre George..." Ela se orgulhava dele. Era um velhinho tão terno! Não havia na vida dele um segredo tão lindo quanto o dela. Ela sorriu ainda com mais ternura.

— Seria ótimo, querido — disse.

O sr. Parker Pyne estava falando com a srta. Lemon.

— Despesas com os divertimentos?

— Cento e duas libras, quatorze *shillings* e seis *pence*.

A porta se abriu, e entrou Claude Luttrell. Estava com um ar amuado.

— Bom dia, Claude — disse Parker Pyne. — Foi tudo bem?

— Acho que sim.

— O anel? Qual foi o nome que você mandou gravar, por falar nisso?

— Matilda — disse Claude taciturno. — 1899.

— Ótimo. E as palavras do anúncio?

— *Continuo bem. Ainda me lembro de você. Claude.*

— Tome nota, por favor, srta. Lemon. Na coluna dos anúncios pessoais. No dia 3 de novembro... deixe ver... despesas de cento e duas libras, quatorze *shillings* e seis *pence*. Por 10 anos, acho. Isso nos deixa um lucro líquido de noventa e duas libras, dois *shillings* e quatro *pence*. Correto. Perfeitamente correto.

A secretária saiu.

— Olhe aqui — explodiu Claude. — Não gosto disso. É um jogo sujo.

— Meu caro rapaz!

— Jogo sujo. Uma mulher decente... uma mulher direita. Contar todas estas mentiras. Enganá-la com essas histórias sentimentais, que horror! Isso me deixou doente!

Parker Pyne endireitou os óculos e olhou para Claude com uma espécie de interesse científico.

— Meu caro — disse secamente —, não me recordo de nenhum momento em que a sua consciência o tenha preocupado em toda a sua... ahn... notória carreira... Seus negócios na Riviera foram particularmente inescrupulosos, e a sua exploração da sra. Hattie West, mulher do Rei dos Pepinos da Califórnia, foi notável pelo instinto mercenário e empedernido que você demonstrou.

— Bem, estou começando a me sentir diferente — resmungou Claude. — Não é direito... esse tipo de jogo.

Parker Pyne falou num tom de voz como o do professor que repreende o aluno favorito:

— Claude, meu caro, você praticou uma boa ação. Deu a uma mulher infeliz o que todas as mulheres precisam: um romance. Uma mulher pode destruir uma paixão e não aproveitar nada de bom dela, mas um romance pode ser guardado com carinho e relembrado por muitos anos. Eu conheço a natureza humana, meu jovem, e posso lhe garantir que uma mulher alimentará um romance por muitos anos. — Pigarreou. — Cumprimos com pleno êxito nossa missão com a sra. Packington.

— Bem — murmurou Claude, antes de deixar a sala —, mas isso não me agrada.

Parker Pyne apanhou um fichário novo numa gaveta. Escreveu:

Curiosos vestígios de consciência num gigolô empedernido.
Nota: acompanhar o desenvolvimento.

O caso do soldado insatisfeito

O major Wilbraham hesitou em frente à porta do escritório de Parker Pyne para ler, não pela primeira vez, o anúncio do matutino que o trouxera até ali. Era muito simples:

CONFIDENCIAL
VOCÊ É FELIZ? SE NÃO FOR, CONSULTE O SR. PARKER PYNE. RUA RICHMOND, 17.

O major respirou fundo e avançou bruscamente pela porta giratória do escritório. Uma jovem de maneiras simples levantou os olhos da máquina de escrever e olhou interrogativamente para ele.

— O sr. Parker Pyne? — disse o major Wilbraham, meio envergonhado.

— Por aqui, por favor.

Ele a seguiu até um escritório interno, até chegarem à presença do afável sr. Parker Pyne.

— Bom dia — disse o sr. Pyne. — Sente-se, por favor. E me diga o que posso fazer pelo senhor.

— Meu nome é Wilbraham... — começou o outro.

— Major? Coronel? — perguntou o sr. Pyne.

— Major.

— Ah! E voltou há pouco tempo do exterior? Índia? África Oriental?

— África Oriental.

— Um lugar esplêndido, imagino. Então, está de volta ao lar... e não gostou daqui. É esse o problema?

— O senhor está absolutamente certo. Como foi que soube...?

O sr. Parker Pyne balançou a mão, num gesto imponente.

— Meu negócio é saber. Veja o senhor que, durante 35 anos da minha vida, eu só fiz compilar estatísticas numa repartição do governo. Agora que me aposentei, me ocorreu a ideia de aproveitar, de uma maneira diferente, toda a experiência que adquiri. É tudo muito simples. As desgraças todas podem ser classificadas em cinco tipos principais, nem mais nem menos, posso afirmar. Uma vez conhecida a causa de uma doença, a cura passa a ser perfeitamente possível. Eu me coloco no papel de um médico. Primeiro ele diagnostica o mal do paciente, depois prescreve o tratamento. Há casos em que nenhum tratamento dá resultado. Quando é assim, digo com toda a franqueza que não posso fazer nada. Mas, se eu tomar conta do caso, a cura é praticamente garantida. Eu lhe asseguro, major Wilbraham, que 96% dos antigos construtores do Império, que é como eu os chamo, são infelizes. Eles trocaram uma vida ativa, uma vida cheia de responsabilidades, uma vida de possíveis perigos, por... pelo quê? Restrições mesquinhas, um clima melancólico e um sentimento generalizado de serem um peixe fora d'água.

— Tudo verdade — disse o major. — É o tédio que me persegue. O tédio e essa tagarelice sem fim sobre os probleminhas fúteis de um vilarejo. Mas o que é que eu posso fazer? Tenho um pouco de dinheiro além da minha pensão. Tenho uma pequena casa de campo perto de Cobham. Não posso me dar ao luxo de caçar, atirar ou pescar. Não sou casado. Meus vizinhos são todos pessoas simpáticas, mas não têm nenhuma ideia do mundo além desta ilha.

— Em suma, o senhor acha que a vida é insípida — disse o sr. Parker Pyne.

— Tremendamente insípida.

— Gostaria de emoções, perigos, talvez?

O militar deu de ombros.

— Não, nesta terrinha não acontecem coisas desse tipo.

— Perdão — disse com seriedade o sr. Pyne. — É aí que o senhor se engana. Há muito perigo, muita emoção, aqui mesmo em Londres, se o senhor souber onde procurar. Acho que o senhor conhece a nossa vida inglesa apenas na sua superfície calma, inofensiva. Mas existe outra faceta. Se quiser vê-la, eu lhe mostrarei o outro lado.

O major Wilbraham olhou pensativo para ele. Havia algo tranquilizador no sr. Pyne. Era forte, para não dizer gordo; tinha uma cabeça calva bem-proporcionada, óculos de lentes grossas e pequenos olhos brilhantes. E havia em torno dele uma aura... uma aura de confiança.

— Devo lhe avisar, entretanto — continuou o sr. Pyne —, que haverá um elemento de risco.

Os olhos do militar faiscaram.

— Não há problemas — disse. E continuou bruscamente: — E... seus honorários?

— Meus honorários são de cinquenta libras, adiantadas. Se dentro de um mês o senhor estiver sentindo o mesmo tédio, eu lhe devolvo o dinheiro.

Wilbraham pensou um momento.

— Está certo — disse por fim. — Concordo. Vou lhe dar um cheque agora mesmo.

A transação foi completada. Parker Pyne apertou um botão em sua mesa.

— É uma hora da tarde — disse. — Vou lhe pedir para levar uma jovem para almoçar.

A porta abriu.

— Ah, Madeleine, minha querida, deixe que eu lhe apresente o major Wilbraham, que vai levá-la para almoçar.

Wilbraham piscou ligeiramente, o que era bastante justificável. A moça que entrou na sala era uma morena lânguida, com olhos maravilhosos e longas pestanas pretas, a pele perfeita e uma boca voluptuosa e muito vermelha. Seu vestido requintado realçava a graça e a leveza de seu corpo. Da cabeça aos pés ela era perfeita.

— Ahn... encantado — disse o major Wilbraham.

— Srta. De Sara — disse o sr. Parker Pyne.

— Muito gentil da sua parte — murmurou Madeleine de Sara.

— Fiquei com o seu endereço — anunciou o sr. Pyne.

— Amanhã de manhã o senhor receberá minhas novas instruções.

O major Wilbraham saiu com a encantadora Madeleine.

Eram três horas da tarde quando Madeleine voltou. Parker Pyne levantou a cabeça.

— Como foi? — perguntou.

Madeleine fez que não.

— Está com medo de mim — disse. — Pensa que sou uma mulher fatal.

— Era o que calculava — disse Parker Pyne. — Cumpriu as instruções?

— Cumpri. Conversamos sobre as pessoas das outras mesas. O tipo de que ele gosta é loura, olhos azuis, ligeiramente franzina, não muito alta.

— Deve ser fácil — comentou o sr. Pyne. — Traga-me o Esquema B e veja o que temos em estoque no momento. — Correu o dedo sobre uma lista e parou na altura de um nome. — Freda Clegg. É, acho que Freda Clegg é o ideal. É melhor ir falar com a sra. Oliver.

No dia seguinte o major Wilbraham recebeu um bilhete:

Na segunda-feira de manhã, às onze horas, vá até Eaglemont, na rua Friars, em Hampstead, e pergunte pelo sr. Jones. Apresente-se como o representante da Companhia de Exportação Guava.

Na segunda-feira (que por coincidência era feriado bancário), o major Wilbraham dirigiu-se obedientemente para Eaglemont, rua Friars. Foi para lá, disse eu, mas não chegou lá. Pois, antes de chegar, aconteceu outra coisa.

O mundo inteiro, com as respectivas esposas, parecia estar a caminho de Hampstead. O major Wilbraham emaranhou-se em multidões, quase foi sufocado no metrô e teve dificuldade em descobrir onde ficava a rua Friars.

Esta rua era um beco sem saída, uma estrada abandonada e cheia de buracos, com casas recuadas, de ambos os lados da rua. Eram casas grandes que pareciam ter conhecido dias melhores, e agora estavam meio abandonadas.

Wilbraham andou pelas calçadas, prestando atenção nos nomes semiapagados nos portões, quando de repente ouviu alguma coisa e parou, atento. Era uma espécie de soluço, um grito meio abafado.

Escutou outra vez o mesmo barulho, mas dessa vez reconheceu levemente a palavra "Socorro!". Vinha de dentro da casa em frente à qual ele estava passando.

Sem um instante de hesitação, o major Wilbraham empurrou o portão vacilante e correu a toda velocidade pelo caminho coberto de ervas daninhas. No meio de uns arbustos uma moça lutava em desespero contra dois homens negros enormes. Lutava com bravura, torcendo-se e chutando-os. Um deles lhe tapava a boca com a mão, a despeito dos esforços furiosos da jovem para desvencilhar a cabeça.

Empenhados na luta com a moça, os homens não perceberam a aproximação de Wilbraham. A primeira coisa que perceberam foi quando um violento soco no queixo derrubou o sacripanta que cobria a boca da moça. Surpreendido, o outro abandonou a moça e se virou. Wilbraham esperava por ele. Uma vez mais, ele socou, e o outro caiu de costas. Wilbraham voltou-se para o primeiro homem, que estava se aproximando dele por trás.

Mas, para os dois, aquilo tinha sido suficiente. O segundo levantou engatinhando, sentou-se, pôs-se de pé num pulo e correu para o portão. O companheiro o seguiu. Wilbraham preparou-se para persegui-los, mas mudou de ideia e se virou para a moça, que estava recostada numa árvore, ofegante.

— Oh, muito obrigada! — disse ela, com a voz entrecortada. — Foi horrível!

Pela primeira vez, o major Wilbraham viu quem era a pessoa que ele tão oportunamente salvara. Era uma jovem de uns 21 ou 22 anos, loura, de olhos azuis, de uma beleza pálida.

— Se o senhor não tivesse chegado! — suspirou ela.
— Ora, ora — disse o major Wilbraham para acalmá-la. — Agora está tudo bem. Acho melhor nós irmos embora, eles podem voltar.

Um leve sorriso surgiu nos lábios da garota.
— Não acredito que eles voltem... depois do que o senhor fez. Oh, foi maravilhoso da sua parte!

O major Wilbraham ficou envergonhado com o olhar de admiração da moça.
— Não foi nada — disse, confuso. — Acontece todo dia. Estavam aborrecendo a senhora. Olhe, será que pode andar apoiada no meu braço? Foi um choque muito desagradável, eu sei.

— Já estou bem — respondeu a moça.

Mas aceitou a proteção do braço. Ainda estava toda trêmula. Olhou de relance para trás, quando saíram pelo portão.

— Não entendo — murmurou ela. — Esta casa está visivelmente vazia.

— É, está vazia mesmo — concordou o major, reparando nas janelas fechadas e na aparência de abandono.

— Mas Whitefriars é aqui. — Ela apontou o nome meio apagado no portão. — E Whitefriars era o lugar aonde eu devia vir.

— Não fique preocupada com isso — disse Wilbraham. — Em dois minutos nós pegamos um táxi e vamos a algum lugar tomar um café.

No fim da rua, entraram numa outra, bem mais movimentada, e, por sorte, um táxi tinha acabado de deixar alguém em uma das casas. Wilbraham chamou-o, deu um endereço ao motorista, e foram embora.

— Não fale — advertiu à companheira. — Fique recostada. Você passou por uma experiência desagradável.

Ela sorriu agradecida.

— Por falar nisto... ahn... meu nome é Wilbraham.

— O meu é Clegg, Freda Clegg.

Dez minutos depois, Freda estava tomando um café quente e olhando agradecida para o seu salvador do outro lado da mesa.

— Parece até um sonho... Um pesadelo — disse, estremecendo. — E dizer que ainda há pouco eu estava pedindo a Deus que acontecesse alguma coisa... qualquer coisa! É, eu não gosto de aventuras!

— Conte como foi que aconteceu.

— Bom, para contar tudo, acho que precisaria dizer uma porção de coisas sobre mim mesma.

— Ótimo assunto — disse Wilbraham inclinando a cabeça.

— Sou órfã. Meu pai era capitão. Morreu quando eu tinha oito anos. Minha mãe, há três anos. Trabalho no centro da cidade. Na companhia de gás, como recepcionista. Uma noite da semana passada, ao voltar para casa, encontrei um senhor esperando por mim. Era um advogado, um sr. Reid, de Melbourne. Foi muito delicado, e me fez várias perguntas sobre a minha família. Explicou que tinha conhecido meu pai havia muitos anos. Na verdade, eles fizeram alguns negócios juntos. Foi então que ele me contou o objetivo de sua visita. "Srta. Clegg", disse ele, "tenho razões para acreditar que a senhorita poderá ser beneficiada com os resultados de uma transação comercial realizada por seu pai muitos anos antes de sua morte". Fiquei muito surpresa, é claro. "É pouco provável que a senhorita tenha ouvido falar dessa história", explicou ele, "pois John Clegg nunca levou o negócio muito a sério, acho eu. Mas tudo se concretizou de modo inesperado. Temo que, para legalizar a sua situação, seja necessário ter certos documentos. Esses papéis devem fazer parte do inventário de seu pai, e talvez até já tenham sido destruídos, na suposição de que não tinham nenhum valor. A senhorita guardou alguns papéis de seu pai?".

— Expliquei que minha mãe guardava várias coisas do meu pai numa velha arca. Eu já tinha dado uma olhada, mas não descobri nada de interessante. "Dificilmente a senhorita reconheceria a importância desses documentos", disse ele sorrindo. Fui até à arca, apanhei alguns papéis que estavam lá e mostrei a ele. Examinou-os, mas disse que era impossível, assim de repente, saber quais os que estariam ou não ligados ao assunto em questão. Ele os levaria e se comunicaria comigo se aparecesse alguma coisa.

E então ela continuou:

— Pelo último correio de sábado, recebi uma carta que sugeria que eu fosse à casa dele para discutirmos o assunto. Deu-me este endereço: Whitefriars, rua Friars, Hampstead. A hora marcada era 10h45. Atrasei-me um pouco procurando o lugar. Entrei com pressa pelo portão, e estava andando para a casa quando, de repente, aqueles dois homens horríveis pularam em cima de mim de dentro das moitas. Nem tive tempo de gritar. Um deles pôs a mão na minha boca. Consegui soltar a cabeça com um puxão e gritei por socorro. Felizmente o senhor me ouviu. Se não fosse isso...

Seu olhar era mais eloquente que quaisquer outras palavras.

— Foi uma sorte eu estar passando por ali. Puxa, como eu gostaria de pegar aqueles dois. Suponho que você nunca os tenha visto antes.

Ela fez que não com a cabeça.

— O que acha que isso tudo significa?

— É difícil saber. Mas uma coisa parece evidente.. Há alguma coisa que alguém quer e que está entre os papéis de seu pai. Este tal Reid lhe contou uma história da carochinha para ter a oportunidade de dar uma espiada neles. É evidente que o que ele procurava não estava lá.

— Ah! — exclamou Freda. — Agora eu estou entendendo. Quando voltei para casa no sábado, achei que as minhas coisas tinham sido remexidas. Para dizer a verdade, suspeitei de que a senhoria tivesse entrado no meu quarto por curiosidade. Mas agora...

— É isso, com certeza. Alguém conseguiu entrar no seu quarto e dar uma busca, mas não encontrou o que procurava. Achou que você sabia o valor desse papel, ou seja lá o que for, e que o mantinha guardado. Então planejou esta emboscada. Se você estivesse com o papel, ele o apanharia. Se não, você ficaria presa enquanto ele tentaria fazê-la confessar onde o tinha escondido.

— Mas afinal o que pode *ser* isso? — indagou Freda.

— Não sei. Mas deve ser alguma coisa muito importante, para ele se dar a todo esse trabalho.

— Mas não faz sentido!

— Não sei. Seu pai era um marinheiro. Ia a lugares estranhos. Talvez tenha achado alguma coisa cujo verdadeiro valor nunca chegou a saber.

— Você acha mesmo? — Um leve rubor de excitação coloriu as pálidas faces da moça.

— Acho. A questão é o que fazer agora? Você não está pretendendo ir à polícia, está?

— Não, por favor!

— Ótimo. Não vejo o que a polícia poderia fazer, e isso só lhe traria aborrecimentos. Agora sugiro que você vá almoçar comigo em algum lugar e depois me deixe acompanhá-la até o seu apartamento, para que eu tenha certeza de que você chegou sã e salva. Aí, se você quiser, nós podemos procurar o papel. Porque ele deve estar escondido em algum lugar.

— Talvez o meu pai mesmo o tenha destruído.

— Pode ser, mas é evidente que eles não são dessa opinião, e isso nos dá alguma esperança.

— O que será? Um tesouro escondido?

— Meu Deus, é bem possível — exclamou o major Wilbraham, com o seu lado infantil todo excitado com a perspectiva. — Mas agora, srta. Clegg, ao almoço!

O almoço foi agradável. Wilbraham contou tudo a Freda sobre a sua vida na África Oriental. Descreveu caçadas de elefantes, e a garota ficou emocionada. Quando acabaram, ele insistiu em levá-la de táxi para casa.

O apartamento era perto de Notting Hill Gate. Ao chegar, Freda teve uma rápida conversa com a senhoria. Voltou para perto de Wilbraham e subiu com ele até o segundo andar, onde ela morava num minúsculo apartamento de quarto e sala.

— Exatamente como pensamos — disse ela. — Esteve aqui um sujeito, sábado de manhã para fazer um conserto na instalação elétrica. Disse que a do meu quarto estava com defeito e ficou lá algum tempo.

— Mostre-me a arca do seu pai — pediu Wilbraham.

Freda lhe mostrou uma caixa com um anel de latão em volta.

— Veja — disse ela levantando a tampa. — Está vazia.

O militar fez que sim com a cabeça, pensativo.

— E não há nenhum papel em outro lugar?

— Tenho certeza de que não. Mamãe guardava tudo aqui.

Wilbraham examinou a parte interna da arca. De repente, teve uma surpresa.

— Há uma fenda no forro! — Cuidadosamente, enfiou a mão para examinar o interior. Um leve estalo o recompensou. — Alguma coisa escorregou lá atrás!

Um minuto depois ele terminava sua busca. Um pedaço de papel sujo, todo dobrado. Alisou-o em cima da mesa; Freda olhava por cima do ombro e ficou um pouco desapontada.

— Não passa de um monte de rabiscos esquisitos.

— Meu Deus, está escrito em *swahili*! — gritou o major Wilbraham. — O dialeto nativo da África Oriental, sabe?

— Incrível! — disse Freda. — E você consegue ler isso?

— Mais ou menos. Mas que coisa estranha! — Levou o papel para perto da janela.

— É alguma coisa? — perguntou Freda toda trêmula.

Wilbraham leu duas vezes o papel e voltou para junto da moça.

— Bem — disse com uma careta —, aqui está o seu tesouro escondido.

— Tesouro escondido? Mesmo? Ou seja, ouro espanhol... galeão afundado... essas coisas?
— Não chega a ser tão romântico, mas... o resultado é o mesmo. Este papel indica um esconderijo de marfim.
— Marfim? — perguntou a moça espantada.
— É. Elefantes, sabe? Há uma lei que proíbe matar além de certo número. Algum caçador conseguiu escapar e burlar esta lei em grande escala. Ele começou a ser perseguido, e teve que esconder o marfim. Parece que há muito marfim, e ele indica com precisão o rumo para encontrá-lo. Olhe, precisamos ir atrás disso, eu e você.
— Você acha que há mesmo dinheiro nessa história?
— Uma bela fortuna para você.
— Mas como foi que este papel foi parar nas mãos do meu pai?
Wilbraham deu de ombros.
— Talvez o sujeito estivesse morrendo, ou coisa que o valha. Talvez tenha escrito em *swahili* para se proteger, e o entregou ao seu pai, que talvez o tenha ajudado de algum modo. Seu pai, como não sabia ler o documento, não deu a menor importância. É apenas uma conjetura minha, mas posso lhe garantir que não deve estar muito longe da verdade.
Freda suspirou.
— Como é espantoso e excitante!
— O problema agora é: o que fazer com este documento precioso — disse Wilbraham. — Não gostaria de deixá-lo aqui. Talvez eles venham procurá-lo outra vez. Você o deixaria comigo?
— Claro que deixo. Mas... não vai ser perigoso para você? — perguntou ela, hesitante.
— Sou um osso duro de roer — disse Wilbraham com uma careta. — Não precisa se preocupar comigo.
— Dobrou o papel e o colocou no bolso interno do paletó. — Posso vir vê-la amanhã à noite? — perguntou.
— Amanhã já terei alguns planos, e vou olhar certos lugares no meu mapa. A que horas você volta da cidade?
— Às 18h30.

— Ótimo. Teremos uma conferência secreta, e você talvez me permita levá-la para jantar. Precisamos comemorar. Até amanhã, então. Às 18h30.

O major Wilbraham chegou pontualmente na hora marcada. Tocou a campainha e perguntou pela srta. Clegg. Uma criada foi quem atendeu.

— Srta. Clegg? Não está.

— Ahn! — Wilbraham não quis sugerir que podia entrar e esperar. — Eu volto mais tarde.

Ficou do lado de fora, na rua, esperando a cada minuto que Freda surgisse. Os minutos iam passando. Quinze para as sete. Sete. Sete e quinze. Nem sinal dela. Um sentimento de desassossego começou a tomar conta dele. Voltou ao edifício e tocou a campainha.

— Por favor — disse —, eu tinha marcado um encontro para as 18h30 com a srta. Clegg. Tem certeza de que ela não está... ou de que não deixou nenhum recado?

— O senhor é o major Wilbraham? — perguntou a empregada.

— Sou.

— Então tem um recado para o senhor. Foi um portador que deixou.

Wilbraham abriu o envelope. Dizia o seguinte:

Meu caro major Wilbraham,
aconteceu uma coisa muito estranha. Não posso escrever mais nada agora; pode se encontrar comigo em Whitefriars? Venha o mais depressa possível.

Sua amiga,
Freda Clegg.

Wilbraham pôs-se rapidamente a pensar, com um ar preocupado. Distraidamente, pôs a mão no bolso e tirou uma carta endereçada ao seu alfaiate.

— Será — perguntou à empregada — que a senhora podia me arranjar um selo?

— Talvez a sra. Parkins possa lhe arranjar.

Em seguida voltava com o selo. Wilbraham pagou com um *shilling*. Um minuto depois, ele estava andando para a estação do metrô e colocou a carta ao passar por uma caixa coletora do correio.

A carta de Freda deixou-o muito inquieto. "O que teria levado a garota, sozinha, à cena do sinistro encontro da véspera?"

Balançou a cabeça. "Que coisa mais imprudente! Será que Reid voltara? Teria de algum modo convencido a garota a confiar nele? O que a teria levado a Hampstead?"

Olhou o relógio. Quase 19h30. Ela devia estar pensando que ele sairia de lá às 18h30. Uma hora de atraso. Era demais. Se pelo menos ela tivesse dado alguma pista...

A carta o deixara intrigado. Seu tom, muito independente, não era muito próprio de Freda Clegg.

Eram 19h50 quando ele chegou à rua Friars. Começava a escurecer. Olhou de relance para os lados; não havia ninguém à vista. Devagar, empurrou o portão, que girou silencioso sobre as dobradiças. A alameda estava deserta; a casa, às escuras. Seguiu pelo caminho, muito cauteloso, olhando para todos os lados. Não estava disposto a ser apanhado de surpresa.

De repente, parou. Por um rápido instante brilhou um raio de luz através de uma das persianas. A casa não estava vazia. Havia alguém lá dentro.

Wilbraham passou cuidadosamente por uma moita e tomou o caminho dos fundos da casa. Finalmente encontrou o que procurava. Uma das janelas do andar térreo não estava trancada. Dava para uma espécie de copa. Levantou a vidraça. Era uma janela corrediça. Acendeu a lanterna (ele comprara uma no caminho) para espiar o interior deserto. Pulou para dentro.

Com muito cuidado abriu a porta da copa. Não ouviu qualquer ruído. Outra vez acendeu a lanterna. Uma cozinha, vazia. Do outro lado da cozinha havia meia dúzia de degraus e uma porta que, evidentemente, dava para a parte da frente da casa.

Abriu a porta e procurou escutar. Nada. Entrou. Agora estava na sala da frente. Ainda não tinha ouvido nada. Havia uma porta à direita e outra à esquerda. Escolheu a porta da direita, afiou o ouvido e virou o trinco. A porta cedeu. Abriu devagar, centímetro por centímetro, e entrou.

Tornou a acender a lanterna. O cômodo estava completamente vazio.

Nesse momento, ouviu um ruído atrás dele, virou... Tarde demais! Alguma coisa lhe bateu na cabeça, e ele caiu, inconsciente...

Wilbraham não tinha ideia do tempo que tinha ficado sem sentidos. Recobrou-se, penosamente, a cabeça doendo. Tentou se mexer, mas viu logo que não podia. Estava amarrado com cordas.

Rapidamente recobrou a razão. Agora se lembrava. Tinha sido atingido na cabeça.

Uma luz fraca lá no alto da parede indicava que ele estava numa pequena adega. Olhou em volta e seu coração pulou. Perto dele, jazia Freda, também amarrada. Os olhos estavam fechados, mas se abriram logo depois, enquanto a moça suspirava, observada ansiosamente por Wilbraham. Seu olhar perplexo se concentrou nele e, ao reconhecê-lo, brilhou de alegria.

— Você também? — perguntou ela. — O que foi que aconteceu?

— Deixei você em má situação — disse Wilbraham.

— Caí de cabeça na armadilha. Diga-me, você escreveu um bilhete pedindo que eu viesse encontrá-la aqui?

Os olhos da moça se arregalaram de espanto.

— *Eu?* Mas foi você quem me mandou um bilhete.

— Ah, eu mandei um bilhete para você?

— Foi. Recebi no escritório. Pedia que eu viesse encontrá-lo aqui, e não lá em casa.

— O mesmo método — resmungou ele, explicando-lhe a situação.

— Estou entendendo agora — disse Freda. — Então o plano era...
— Conseguir o papel. Alguém deve ter nos seguido ontem. Foi como me localizaram.
— E... eles conseguiram o papel? — perguntou Freda.
— Infelizmente não posso me mexer para verificar — disse o militar, olhando pesaroso para as mãos amarradas.
De repente, eles estremeceram. Ouviu-se uma voz, uma voz que parecia vir do vácuo.
— Sim, muito obrigado — disse. — Já consegui o papel. Não precisam se preocupar.
Os dois se arrepiaram com a voz invisível.
— Reid — murmurou Freda.
— Reid é um dos meus nomes, minha cara jovem — disse a voz. — Mas apenas um deles. Agora, sinto muito dizer que vocês dois interferiram nos meus planos, uma coisa que eu não posso permitir. A descoberta desta casa é muito séria. Vocês ainda não disseram nada à polícia, mas pode ser que venham a fazê-lo. Temo que não possa confiar em vocês. Podem prometer... mas nem sempre podemos cumprir as promessas. E, como veem, esta casa é muito útil para mim. É uma espécie de ponto sem retorno. Daqui todos saem... para outro lugar... É, sinto muito, mas vocês vão embora... É muito triste... mas é preciso.

A voz fez uma pequena pausa e prosseguiu:
— Não haverá derramamento de sangue. Tenho horror a carnificinas. Meu método é mais simples. E na verdade não é doloroso. Bem, tenho que ir andando. Boa noite para ambos.

— Olhe aqui — era Wilbraham quem falava agora.
— Faça o que quiser comigo, mas esta moça não lhe fez nada... nada! Não lhe fará a menor diferença se ela for embora.

Mas não houve resposta.

Nesse instante, Freda deu um grito.

— A água... a água!

Apesar da dor, Wilbraham virou-se e seguiu a direção dos olhos dela. De um buraco perto do teto, a água começou a borbulhar.

Freda deu um grito histérico.

— Eles vão nos afogar!

O suor brotou no rosto de Wilbraham.

— Ainda não estamos perdidos — disse. — Vamos gritar por socorro. É quase certo que alguém ouça. Agora: ao mesmo tempo.

Berraram o mais forte que puderam. Só pararam quando já estavam roucos.

— Não adianta — disse Wilbraham com tristeza. — Estamos muito abaixo do nível do chão e acho que as portas devem ser à prova de som. É claro que, se pudéssemos ser ouvidos, aquele estúpido nos teria amordaçado.

— Oh! — gritou Freda. — E tudo por minha culpa. Fui eu quem o envolveu nessa história.

— Não se preocupe, minha querida. É em você que estou pensando. Já estive em situações piores e consegui me livrar. Não perca a coragem. Vou livrá-la disto. Do jeito que a água está caindo, ainda temos muitas horas antes que o pior aconteça.

— Você é maravilhoso! — disse Freda. — Nunca conheci ninguém como você... só nos livros.

— Bobagem... é só uma questão de bom senso. Agora, preciso afrouxar estas malditas cordas.

Quinze minutos depois, à força de puxar e se torcer, Wilbraham teve a satisfação de constatar que os nós estavam bem mais frouxos. Tentou abaixar a cabeça e suspendeu os punhos até conseguir desatar os nós com os dentes.

Com as mãos livres, o resto foi apenas uma questão de tempo.

Cheio de cãibras, endurecido, mas livre, ele se debruçou sobre a moça. Logo depois ela também já estava livre.

A essa altura, a água estava pelos tornozelos.

— E agora — disse o militar — vamos sair daqui.

A porta da adega ficava no topo de alguns degraus. O major Wilbraham a examinou.

— Sem problemas — disse. — É fraca. Vai ser fácil arrombá-la.

Encostou os ombros na porta e empurrou. A madeira estalou e a porta se soltou das dobradiças.

Do lado de fora encontraram um lance de escada. Em cima, outra porta, esta bem diferente, de madeira sólida e reforçada com trancas de ferro.

— Esta é um pouco mais difícil — disse Wilbraham.

— Mas que sorte! Não está trancada!

Ele empurrou, olhou à sua volta e pediu à garota que o seguisse. Saíram numa passagem que dava para a cozinha. Um minuto depois já estavam ao ar livre, na rua Friars.

— Ai! — Freda deu um pequeno soluço. — Que coisa horrível!

— Minha querida... — Ele a tomou nos braços. — Você foi tão maravilhosamente corajosa. Freda... meu anjo... será que você... Quero dizer, se você... Eu a amo, Freda. Quer se casar comigo?

Depois de um breve intervalo, altamente satisfatório para ambas as partes, o major Wilbraham disse com um sorriso:

— E o melhor é que nós ainda temos o segredo do tesouro do marfim.

— Mas eles o pegaram!

O major tornou a sorrir.

— Foi exatamente o que eles não fizeram. Fiz uma cópia falsa e, antes de me encontrar com você, pus o original numa carta que ia mandar para o meu alfaiate e coloquei no correio. Eles pegaram a cópia falsa e... tomara que se divirtam! Sabe o que nós vamos fazer, meu anjo? Vamos passar nossa lua de mel na África Oriental e sair à caça do nosso tesouro.

Parker Pyne saiu de seu escritório e subiu dois lances de escada. Numa sala do alto do edifício estava a sra. Oliver, a sensacional novelista, que era agora um dos membros de sua equipe.

Parker Pyne bateu à porta e entrou. A sra. Oliver estava sentada a uma mesa sobre a qual havia uma máquina de escrever, vários cadernos de notas, uma confusão de manuscritos soltos e uma grande cesta de maçãs.

— Ótima história, sra. Oliver — disse Parker Pyne com entusiasmo.

— Deu tudo certo? — perguntou a sra. Oliver. — Fico satisfeita.

— O negócio da água no porão... — comentou Parker Pyne. — Não acha que daqui por diante podíamos pensar alguma coisa mais original... talvez? — Fez a sugestão com certa timidez.

A sra. Oliver balançou negativamente a cabeça, e apanhou uma maçã da cesta.

— Acho que não, sr. Pyne. Não se esqueça de que as pessoas estão acostumadas a ler histórias desse tipo. Água subindo em uma adega, gases venenosos etc. O fato de já conhecer as coisas provoca uma excitação maior quando elas acontecem com a gente. O público é conservador, sr. Pyne. Eles gostam dos truques antiquados.

— Bem, a senhora é quem sabe — admitiu Parker Pyne, levando em conta que ela era autora de 46 novelas de ficção muito bem-sucedidas, todas com recordes de vendas na Inglaterra e na América e já traduzidas para o francês, alemão, italiano, húngaro, finlandês, japonês e abissínio. — E as despesas?

A sra. Oliver pegou uma folha de papel.

— Ao todo, muito pouca coisa. Os dois negros, Percy e Jerry, cobraram muito pouco. O jovem Lorrimer, o ator, deu-se por feliz em fazer o papel de Reid por cinco guinéus. O discurso lá na adega era uma gravação, é claro.

— Whitefriars tem sido muito útil para mim — disse Pyne. — Comprei a casa por uma ninharia, e ela já serviu de cenário para 11 dramas misteriosos.

— Ah, estava esquecendo — disse a sra. Oliver. — O pagamento de Johnny. Cinco *shillings*.

— Johnny?

— É. Foi o menino que derramou a água dos garrafões pelo buraco da parede.

— Ah, sim. Por falar nisso, sra. Oliver, como foi que a senhora aprendeu *swahili*?

— Eu não sei *swahili*.

— Ah, sei. Foi o Museu Britânico, talvez?

— Não. O Centro de Informações de Delfridge.

— Como são maravilhosos hoje em dia os recursos do comércio moderno — murmurou ele.

— A única coisa que me preocupa é que aqueles dois jovens não vão encontrar nenhum tesouro escondido quando chegarem lá.

— Ninguém pode ter tudo neste mundo — disse Parker Pyne. — Eles vão ter uma lua de mel.

A sra. Wilbraham estava sentada numa espreguiçadeira no convés. Seu marido escrevia uma carta.

— Que dia é hoje, Freda?

— Dezesseis.

— Dezesseis! Meu Deus!

— O que foi, querido?

— Nada. Estava me lembrando de um sujeito chamado Jones. Por mais felizes que fossem os recém-casados, há coisas que ninguém revela.

"Que inferno", pensou o major Wilbraham, "eu devia ter voltado lá e pedido o meu dinheiro de volta". Mas, por ser um homem correto, pensou também no outro lado da questão. "Afinal de contas, fui eu que quebrei o contrato. Suponho que, se tivesse ido ver o tal Jones, alguma coisa teria acontecido. De qualquer maneira, do jeito que aconteceu, se eu não tivesse ido vê-lo, nunca teria ouvido o grito de Freda e talvez não nos tivéssemos encontrado nunca. Por tudo isso, indiretamente, talvez ele tenha direito àquelas cinquenta libras!"

A sra. Wilbraham também estava pensando. "Como fui boba de acreditar naquele anúncio e pagar três libras àquela gente. É claro que eles nunca fizeram nada pelo dinheiro e nunca aconteceu nada. Se ao menos eu soubesse o que ia acontecer. Primeiro, o sr. Reid e depois a maneira estranha e romântica na qual Charlie entrou na minha vida. E pensar que foi por pura coincidência que eu o conheci!"

Ela se virou e sorriu encantada para o marido.

O caso da senhora angustiada

A campainha da mesa de Parker Pyne soou discretamente.

— Sim? — disse o grande homem.

— Uma moça quer ver o senhor — falou a secretária. — Não tem hora marcada.

— Mande entrar, srta. Lemon.

Um minuto depois ele apertava a mão da recém-chegada.

— Bom dia — disse. — Sente-se, por favor.

— Parker Pyne é o senhor? — perguntou.

— Sou.

— O do anúncio?

— O do anúncio.

— O senhor diz que se as pessoas não são... não são felizes... que... que venham falar com o senhor.

— É.

Ela falou depressa.

— Bem, é que eu estou muito infeliz. Então pensei em aparecer aqui só para... só para ver.

Parker Pyne ficou parado, porque sentiu que havia mais coisa.

— Eu... eu estou com um problema horrível. — Ela apertava as mãos nervosamente.

— Estou vendo — disse Parker Pyne. — Pode me contar o que está acontecendo?

Parece que era exatamente isso o que a moça não sabia muito bem. Olhou para Parker Pyne com uma atenção desesperada. De repente, começou a falar com precipitação.

— Vou contar... Já tomei uma decisão. Quase fiquei louca de preocupação. Não sabia o que fazer ou para quem apelar. Foi então que vi o seu anúncio. Pensei que talvez fosse uma brincadeira, mas ficou na minha cabeça. Fosse o que fosse, parecia tão reconfortante. Aí eu pensei, bom, não custa nada ir lá *ver*. Eu podia dar uma desculpa e sair se não... bem, se não...

— Compreendo, compreendo — disse Parker Pyne.

— O senhor sabe — disse a moça —, isso significa... bem... *confiar* em alguém.

— E a senhora acha que pode confiar em mim? — perguntou ele sorrindo.

— É estranho — disse a moça com uma simplicidade inconsciente —, mas confio. Sem saber nada a seu respeito! Tenho *certeza* de que posso confiar no senhor.

— Posso lhe garantir que a sua confiança não será traída.

— Então, posso lhe contar tudo. Meu nome é Daphne St. John.

— Pois não, srta. St. John.

— Senhora. Eu... eu sou casada.

— Ora! — murmurou o sr. Pyne aborrecido consigo mesmo ao ver o aro de platina no terceiro dedo de sua mão esquerda. — Que bobagem da minha parte.

— Se eu não fosse casada — continuou a moça —, não me importaria tanto. Quero dizer... não teria tanta importância. É pensar que Gerald... bem, aí... aí é que está todo o problema!

Ela enfiou a mão na bolsa, tirou algo que cintilava e entregou-o a Parker Pyne.

Era um anel de platina com um enorme diamante solitário.

Pyne o pegou, foi até à janela, olhou-o contra a vidraça, colocou uma lente de joalheiro e examinou-o de perto.

— Um diamante extraordinariamente valioso — falou ao voltar à mesa —; deve valer, calculo, cerca de duas mil libras, no mínimo.

— É. E foi roubado! Eu roubei! E não sei o que fazer agora!

— Meu Deus — disse Parker Pyne. — Mas que coisa interessante.

Sua cliente se descontrolou e começou a soluçar e se assoar num lenço meio amarrotado.

— Ora, o que é isso — disse Pyne. — Vai tudo acabar bem.

A moça enxugou os olhos e fungou.

— Vai? — disse ela. — Será que vai?

— É claro que vai. Agora me conte a história toda.

— Bem, tudo começou quando eu fiquei apertada de dinheiro. Sou muito extravagante. Gerald fica muito aborrecido com isso. Gerald é meu marido. Ele é muito mais velho do que eu, e tem... bem, ele tem umas ideias muito austeras. Acha que contrair dívidas é uma coisa horrível. Por isso, não falei nada com ele. Fui até o Le Touquet com alguns amigos e pensei que talvez tivesse sorte no bacará para arranjar as coisas outra vez. Comecei ganhando, mas depois passei a perder, e achei que tinha de continuar. E continuei. E... e...

— Sei, sei — disse Parker Pyne. — Não precisa entrar em detalhes. Você ficou numa enrascada maior do que no início, não é?

Daphne St. John concordou.

— E àquela altura eu não podia mais contar a Gerald. Porque ele detesta jogo. A minha situação era desesperadora. Então, nós fomos passar uns dias com os Dortheimer, perto de Cobham. Eles são muito ricos, claro.

A mulher, Naomi, foi minha colega de escola. Ela é um encanto, e muito bonita. Durante a nossa estada lá, o engaste deste anel se soltou. Na manhã em que fomos embora, ela me pediu que o levasse à cidade e o deixasse no seu joalheiro, na rua Bond — fez uma pausa.

— E agora vem a parte mais difícil — disse Parker Pyne, procurando ajudar. — Continue, sra. St. John.

— O senhor não vai contar a ninguém, não é? — implorou a moça.

— As confidências de meus clientes são sagradas. E de qualquer maneira, sra. St. John, a senhora já me contou tanta coisa que agora talvez eu pudesse terminar a história sozinho.

— Eu sei, mas é que não gosto de falar nisso... acho tão terrível. Fui à rua Bond. Lá tem outra loja, a Viro's. Eles... fazem cópias de joias. De repente, perdi a cabeça. Peguei o anel e disse que queria uma cópia exata: disse que ia viajar para o exterior e não queria levar comigo a joia verdadeira. Eles acharam tudo muito natural.

"Bom, consegui a cópia falsa, era tão perfeita que qualquer um confundiria com o original, e mandei, pelo correio, registrada, para Lady Dortheimer. Eu tinha uma caixa com o nome do joalheiro, parecia perfeito, então, fiz um embrulho bem profissional. Aí, eu... eu... empenhei a joia verdadeira. — Ela escondeu o rosto com as mãos. — Como é que eu fui fazer isso? Como é que eu fui fazer isso? Não passo de uma ladra mesquinha e ordinária."

Parker Pyne pigarreou.

— Acho que a senhora ainda não terminou — disse.

— Não, ainda não. Isso foi há umas seis semanas. Paguei todas as minhas dívidas e acertei tudo, mas é claro que estava me sentindo péssima. Foi então que morreu uma velha prima, e eu recebi algum dinheiro. A primeira coisa que fiz foi tirar o diabo do anel do penhor. Bom, até aí foi tudo bem. O anel está aqui. Mas de repente aconteceu uma coisa terrível.

— Ah, foi?

— Nós tivemos uma briga com os Dortheimer. Foi por causa de umas ações que Sir Reuben tinha convencido Gerald a comprar. Ele perdeu muito dinheiro e disse uns desaforos a Sir Reuben... foi horrível! E agora, como o senhor está vendo, não posso devolver o anel.

— Não poderia enviá-lo anonimamente para Lady Dortheimer?

— Iria tudo por água abaixo. Ela examinaria o outro anel, descobriria que é uma imitação, e adivinharia o que aconteceu.

— A senhora disse que ela é sua amiga. Que tal lhe contar toda a verdade... apelando para a sua indulgência?

A sra. St. John balançou a cabeça.

— Nós não somos tão amigas assim. Em matéria de dinheiro e joias, Naomi é muito severa. Talvez ela não pudesse me processar se eu devolvesse o anel, mas ia contar a todo mundo o que fiz, e eu estaria perdida. Gerald ia saber e nunca me perdoaria. Ai, é tudo tão complicado! — Recomeçou a chorar. — Pensei, pensei e não encontrei uma solução! Oh, sr. Pyne, será que o senhor pode fazer alguma coisa?

— Uma porção de coisas — disse Parker Pyne.

— Pode mesmo? Será?

— Sem dúvida. Eu lhe sugeri que fizesse tudo da maneira mais simples, porque a experiência me diz que a simplicidade é o melhor caminho. Evita problemas imprevistos. Apesar disso, compreendo que as suas objeções são bastantes razoáveis. No momento, quem mais sabe destes tristes fatos além da senhora?

— O senhor — disse a sra. St. John.

— Não, sem contar comigo. Bom, por enquanto o seu segredo está a salvo. Precisamos apenas trocar os anéis de uma forma que não desperte suspeitas.

— É exatamente isso — concordou a moça ansiosa.

— Não vai haver problema nenhum. Precisamos de um tempinho para imaginar o melhor método...

Ela interrompeu.

— Mas não há tempo! É por isso que eu estou quase louca. Ela vai reformar o anel.

— Como é que a senhora sabe?

— Por coincidência. Eu estava almoçando com uma amiga outro dia, e elogiei o anel que ela estava usando, uma esmeralda enorme. Ela me disse que era a última moda... e que Naomi Dortheimer ia reformar daquele jeito o engaste de seu anel de brilhante.

— O que quer dizer que nós vamos ter que trabalhar depressa — disse Parker Pyne, pensativo.

— Pois é.

— Isto é, ter acesso à casa... se possível não como um criado. Os empregados não podem mexer em anéis valiosos. A senhora tem alguma ideia, sra. St. John?

— Bom, Naomi vai dar uma grande festa quarta-feira. E essa minha amiga contou que ela estava procurando uns bailarinos profissionais. Não sei se ela já acertou alguma coisa...

— Acho que eu posso dar um jeito — disse Parker Pyne. — Se já estiver tudo combinado, vai ficar só um pouco mais caro, só isso. Outra coisa. Por acaso, a senhora sabe onde fica a chave geral da luz?

— Por acaso eu *sei* onde fica, porque uma vez queimou um fusível bem tarde, e os empregados já estavam todos deitados. É uma caixa, fica no fundo do corredor, dentro de um armário pequeno.

A pedido de Parker Pyne, ela fez um esboço.

— E agora — disse Parker Pyne —, vai dar tudo certo, não se preocupe, sra. St. John. E o anel? Quer que eu o guarde agora ou prefere ficar com ele até quarta-feira?

— Bem, talvez seja melhor eu ficar com ele.

— Agora, nem uma preocupação a mais, ouviu bem?

— Parker Pyne a repreendeu.

— E... o pagamento? — perguntou timidamente.

— Isso pode ficar para depois. Eu lhe aviso quarta-feira quais foram as despesas necessárias. Meus honorários serão insignificantes, posso garantir.

Levou-a até a porta e depois tocou a campainha de sua mesa.

— Vá chamar Claude e Madeleine.

Claude Luttrell era um dos mais atraentes espécimes de bailarinos profissionais encontráveis na Inglaterra. Madeleine de Sara era a mais sedutora das mulheres fatais.

Parker Pyne observou-os com aprovação.

— Meus filhos — disse —, tenho um serviço para vocês. Vocês vão ser dois bailarinos internacionais muito famosos. Agora, Claude, preste muita atenção ao que vou dizer e veja se entende tudo direito...

Lady Dortheimer estava plenamente satisfeita com os preparativos para o seu baile. Inspecionou os arranjos de flores, deu as últimas ordens ao mordomo e lembrou ao marido que até agora estava dando tudo certo!

Ficou ligeiramente desapontada quando soube que Michael e Juanita, os bailarinos do Almirante Vermelho, à última hora, não iam poder cumprir o contrato, por causa de uma torção no tornozelo de Juanita, mas, no lugar deles, iam mandar dois bailarinos novos (pelo menos foi o que disseram ao telefone) que haviam feito furor em Paris.

Os bailarinos chegaram pontualmente, e Lady Dortheimer os aprovou. A noitada transcorreu esplendidamente. Jules e Sanchia se exibiram e foram sensacionais. Uma selvagem dança da Revolução Espanhola. Depois uma dança chamada *O sonho de um degenerado*. E, ainda, uma fascinante exibição de danças modernas.

Quando o *show* terminou, todo mundo começou a dançar normalmente. O belo Jules pediu o prazer de uma dança a Lady Dortheimer. Os dois começaram a rodar. Nunca Lady Dortheimer tivera um *partner* tão perfeito.

Em vão Sir Reuben procurava a sedutora Sanchia. Ela não estava no salão.

Para dizer a verdade, ela estava no corredor deserto, perto de uma pequena caixa, os olhos fixos no relógio de pulso.

— Não deve ser inglesa... não pode ser inglesa!... para dançar do jeito que dança — murmurou Jules no ouvido de Lady Dortheimer. — É como uma fada, o espírito do vento. *Droushcka petrovka navarouchi.*

— Que língua é essa?

— Russo — mentiu Jules. — Falei em russo uma coisa que não ousaria dizer em inglês.

Lady Dortheimer fechou os olhos. Jules a apertou ainda mais contra si.

Repentinamente as luzes se apagaram. Na escuridão, Jules se debruçou e beijou a mão que repousava em seu ombro. Quando ela tentou retirá-la, ele a segurou e a apertou novamente contra os lábios.

Um anel escorregou de um dedo para a palma de sua mão. Lady Dortheimer achou que tinha passado apenas um segundo antes que as luzes voltassem. Jules sorria para ela.

— Seu anel escorregou... Permite?

Recolocou-o no dedo dela. Seus olhos diziam muitas coisas enquanto ele fazia isso.

Sir Reuben falava sobre a chave central.

— Algum idiota. Uma brincadeira de mau gosto, suponho.

Lady Dortheimer não estava interessada. Aqueles poucos instantes de escuridão tinham sido muito agradáveis.

Ao chegar ao escritório na quinta-feira de manhã, Parker Pyne já encontrou a sra. St. John à sua espera.

— Mande-a entrar — disse Pyne.

— Como foi? — Ela estava ansiosa.

— A senhora está muito pálida — comentou ele em tom acusador. Ela abanou a cabeça.

— Não consegui dormir de noite. Estava imaginando...

— Agora, a notinha das despesas. Passagens de trem, roupas, cinquenta libras para Michael e Juanita. Sessenta e cinco libras e 17 *shillings*.

— Sei, sei! Mas ontem à noite... foi tudo bem? Deu tudo certo?

Parker Pyne olhou para ela, surpreso.

— Minha cara jovem, evidente que sim. Pensei que já tivesse percebido.

— Ah, que alívio! Eu estava com medo...

Parker Pyne balançou a cabeça com ar de reprovação.

— Derrota é uma palavra proibida neste estabelecimento. Se não tenho certeza de que vai dar certo, não aceito o caso... Quando aceito um, o sucesso é praticamente o resultado inevitável.

— Então ela já está de novo com o anel verdadeiro e não desconfia de nada?

— De absolutamente nada. A operação foi realizada de maneira delicadíssima.

Daphne St. John suspirou.

— O senhor não imagina o peso que me tirou da consciência. O que estava dizendo sobre as despesas?

— Sessenta e cinco libras e dezessete *shillings*.

A sra. St. John abriu a bolsa e contou o dinheiro. Parker Pyne agradeceu e preencheu um recibo.

— Mas, e os seus honorários? — murmurou Daphne.

— Isso é só para as despesas.

— Neste caso não há honorários.

— Oh, sr. Pyne! Não posso aceitar, *nunca*!

— Minha cara jovem, insisto. Não vou receber um centavo. Seria contra os meus princípios. Eis o seu recibo. E agora...

Com o sorriso de um feliz prestidigitador que acaba de realizar um truque de sucesso, tirou uma caixinha do bolso e a empurrou para o outro lado da mesa. Daphne a abriu. Dentro, para todos os efeitos, estava o anel igual ao de brilhante.

— Cretino! — disse a sra. St. John fazendo uma careta para ele. — Como eu o odeio! Só não o atiro pela janela porque sou muito boazinha!

— Eu não faria isso — disse Pyne. — Poderia surpreender muita gente.

— O senhor tem certeza de que não é o verdadeiro? — perguntou Daphne.

— Claro que tenho! O que me mostrou outro dia está bem seguro no dedo de Lady Dortheimer.

— Então está tudo certo — Daphne se levantou alegre, com um sorriso.

— É engraçado a senhora me perguntar isso — disse Parker Pyne. — É claro que Claude, coitadinho, não é muito esperto. Ele podia perfeitamente ter se confundido. Por isso, para me certificar, mandei um especialista dar uma olhada nele hoje de manhã.

A sra. St. John tornou a se sentar, precipitadamente.

— E o que foi que ele disse?

— Que era uma imitação muito bem-feita — disse Parker Pyne, sorridente. — Um trabalho de primeira ordem. Acho que com isso a sua consciência fica tranquila, não é?

A sra. St. John abriu a boca para dizer alguma coisa, mas ficou calada. Olhava fixamente para Parker Pyne.

Ele se sentou novamente atrás da mesa e a observou com benevolência.

— Servir de mão de gato para os outros — disse com ar sonhador — não é um papel muito agradável. Pelo menos eu não gostaria que alguém da minha equipe o representasse. Perdão. A senhora disse alguma coisa?

— Eu... não, nada.

— Ótimo. Quero lhe contar uma historinha, sra. St. John. Sobre outra jovem senhora. Uma moça loura, acho. Não é casada. O sobrenome dela não é St. John. O primeiro nome não é Daphne. Pelo contrário, o nome dela é Ernestine Richards, e até pouco tempo atrás ela era secretária de Lady Dortheimer.

— Bem, um dia, o engaste do anel de brilhantes de Lady Dortheimer ficou frouxo, e a srta. Richards o levou à cidade para ser consertado. Parecida com a sua história, não é? A mesma ideia que lhe ocorreu também ocorreu à srta. Richards. Ela mandou fazer uma cópia do anel. Mas ela era uma moça que via longe. Sabia que um dia Lady Dortheimer ia descobrir a troca. Quando isso acontecesse, ela se lembraria de quem levara o anel à cidade, e a srta. Richards seria a primeira suspeita. Então, o que foi que aconteceu? Primeiro, acho que a srta. Richards investiu numa metamorfose de Cinderela, cabelos castanho-escuros, repartidos de lado... — Seus olhos pousaram inocentemente nos cachos ondulados da cliente. — Em seguida, apareceu aqui. Mostrou-me o anel, permitiu que eu verificasse que era verdadeiro, destruindo assim qualquer suspeita possível de minha parte. Feito isso, e com um plano para a troca já arquitetado, a jovem levou o anel ao joalheiro, que, no devido tempo, o enviou a Lady Dortheimer.

"Ontem à tarde, o outro anel, o falso, foi entregue apressadamente na estação de Waterloo. Com razão, a srta. Richards achou que Luttrell não devia ser uma autoridade em diamantes. Mas, apenas para ter certeza de que estava tudo certo, pedi a um amigo, comerciante de diamantes, que estivesse no mesmo trem. Ele olhou o anel e disse imediatamente: 'Este diamante não é verdadeiro; é uma excelente réplica.'

"A senhora está vendo aonde eu quero chegar. É evidente, não é, sra. St. John? Quando Lady Dortheimer descobrisse a perda, de quem se lembraria? Do encantador dançarino que fizera deslizar o anel quando a luz se apagou! Ela ia investigar e descobrir que os bailarinos contratados anteriormente tinham sido subornados para não comparecer. Se as pistas a levassem até o meu escritório, a minha história sobre uma sra. St. John seria extremamente frágil. Lady Dortheimer não conhecia nenhuma sra. St. John. A história pareceria uma farsa inconsistente...

"Está vendo agora por que eu não poderia permitir uma coisa dessas? E foi assim que o meu amigo Claude recolocou, no dedo de Lady Dortheimer, *o mesmo anel que ele tirara*.

"Entende por que eu não posso cobrar nada? Eu prometo a felicidade. E é claro que *eu não a tornei feliz*. Só lhe quero dizer mais uma coisa. A senhora é jovem; possivelmente é a sua primeira tentativa de fazer alguma coisa no gênero. Eu, pelo contrário, já estou, em comparação, muito avançado nos anos, e tenho muita experiência em matéria de estatísticas. Com essa experiência, posso garantir-lhe que, em 87% dos casos, a desonestidade não compensa. Oitenta e sete por cento! Pense nisso!"

Com um movimento brusco, a pseudossenhora St. John se levantou.

— Velho estúpido! Idiota! — exclamou. — Enganando-me! Fazendo-me pagar as despesas! E o tempo todo...

Ela engasgou e se encaminhou apressada para a porta.

— Seu anel — disse Parker Pyne com a caixinha na mão. Ela a apanhou com rispidez e atirou pela janela aberta.

A porta bateu, e ela saiu.

Parker Pyne olhou pela janela com certo interesse.

— Como eu pensava — disse ele. — Aconteceu algo inesperado. O vendedor lá embaixo não vai saber o que fazer com ele.

O caso do marido desgostoso

Sem dúvida uma das maiores qualidades de Parker Pyne era o seu ar compreensivo. Tinha um jeito propício às confidências. Ele sabia muito bem que uma espécie de paralisia se apoderava dos seus clientes quando eles entravam em seu escritório. Preparar o terreno para as necessárias revelações fazia parte do seu trabalho. Nessa manhã, ele estava sentado diante de um novo cliente, sr. Reginald Wade. O sr. Wade, Pyne logo deduziu, era do tipo enrolado. O sujeito que tem a maior dificuldade em descrever com palavras qualquer coisa que se relacione com suas emoções.

Era um homem alto e forte, com uma expressão amena e agradável nos olhos azuis e a pele bastante queimada de sol. Sentou-se e puxou distraidamente o pequeno bigode, enquanto olhava para Parker Pyne com o ar patético de um animal taciturno.

— Vi o anúncio, sabe? — falou num arranco. — Achei que seria bom vir vê-lo. Era muito esquisito, mas a gente nunca sabe, não é?

Parker Pyne interpretou corretamente essas observações enigmáticas.

— Quando as coisas vão mal, a gente sempre se dispõe a correr riscos — sugeriu.

— É isso mesmo. Exatamente isso. Estou disposto a me arriscar... a correr qualquer risco. As coisas vão mal para o meu lado, sr. Pyne. Não sei o que fazer. É muito difícil, sabe? Terrivelmente difícil.

— É aí — disse Pyne —, é exatamente aí que eu entro. Sei o que faço! Sou um especialista em qualquer tipo de problema humano.

— Eu sei! Um campo meio vasto, não é?

— Nem tanto. Os problemas humanos são facilmente classificáveis em alguns tipos principais. Há as doenças. Há as mulheres que têm problemas com os maridos. Há os maridos... — fez uma pausa — que têm problemas com as mulheres.

— Para ser franco, o senhor acertou. Acertou em cheio.

— Conte-me tudo a seu respeito — pediu Parker Pyne.

— Não há muito o que dizer. Minha mulher quer que eu lhe dê o divórcio para que ela possa se casar com outro homem.

— É muito comum hoje em dia. E o senhor, suponho, não está totalmente de acordo com ela, não é?

— Gosto dela — constatou o sr. Wade com simplicidade. — O senhor sabe... eu gosto dela.

Foi uma afirmação simples e até meio insípida, mas, se o sr. Wade tivesse dito "Eu a adoro. Venero o chão que ela pisa. Por ela eu arrancaria os cabelos", não teria sido mais explícito para Parker Pyne.

— Contudo, o senhor sabe — continuou o sr. Wade —, o que é que eu posso fazer? Quero dizer, sinto-me tão indefeso. Se ela prefere mesmo esse outro sujeito... bem, a gente tem de seguir as regras do jogo; sair do caminho, e tudo o mais.

— A proposta é que ela se divorcie do senhor?

— É claro. Eu nunca deixaria que ela fosse levada à corte de justiça.

Parker Pyne olhou pensativo para ele.

— Mas o senhor vem me procurar por quê?

O outro riu, meio envergonhado.

— Não sei. Sabe como é, não sou um sujeito muito esperto. Não sei arquitetar planos. Achei que talvez o senhor pudesse... bem... sugerir alguma coisa. Consegui um prazo de seis meses, sabe? Ela concordou. Se no fim de seis meses ela não tiver mudado de ideia... bom... achei que talvez o senhor pudesse me dar umas dicas. Atualmente ela se aborrece com tudo o que eu faço.

"Veja o senhor, o problema é um só: não sou muito esperto! Gosto de esporte. Gosto de um jogo de golfe. Gosto de uma boa partida de tênis. Não sou muito bom em música, arte, esse tipo de coisa. Minha mulher é muito inteligente. Ela gosta de pintura, ópera, concertos, e, naturalmente, se aborrece comigo. Esse outro sujeito, detestável, cabeludo, sabe tudo sobre essas coisas. Consegue falar sobre elas com perfeição. Eu não. Até certo ponto eu entendo por que uma mulher inteligente e bonita se chateia com uma besta como eu."

Parker Pyne suspirou.

— Há quanto tempo está casado? Nove anos? E suponho que desde o início tenha adotado essa atitude. Errado, meu caro senhor, desastrosamente errado! Nunca se desculpe com uma mulher. Ela vai julgá-lo pelos critérios que o senhor mesmo lhe oferece, e será bem merecido. Devia ter glorificado suas proezas esportivas. Devia ter falado de música e arte como "essas bobagens que a minha mulher aprecia". Devia mostrar-se desgostoso por ela não jogar bem. O espírito de humildade, meu caro senhor, é o fracasso completo do matrimônio! Nenhuma mulher tem obrigação de aguentar isso. Não me admira que a sua mulher não tenha conseguido aturá-lo!

O sr. Wade estava olhando espantado para ele.

— Bem — disse ele —, o que o senhor acha que eu devo fazer?

— A pergunta é essa, sem dúvida. O que devia ter sido feito há nove anos, agora é muito tarde para fazer. Novas táticas precisam ser adotadas. Já teve casos com outras mulheres?

— Claro que não.

— Talvez fosse mais exato dizer algum pequeno flerte?

— Nunca me preocupei muito com as mulheres.

— Errado. Vai começar agora.

O sr. Wade alarmou-se.

— Por favor, seria muito difícil para mim. Quero dizer...

— Não vou lhe criar qualquer problema. Uma pessoa da minha equipe será destacada para o seu caso. Ela vai lhe dizer o que é preciso fazer, e todas as atenções que lhe dedicar serão entendidas, evidentemente, como parte do nosso trato.

O sr. Wade ficou mais aliviado.

— Assim é melhor. Mas o senhor acha mesmo... quero dizer, acho que Íris vai ficar mais ansiosa do que nunca para se ver livre de mim.

— O senhor não compreende a natureza humana, sr. Wade. E muito menos a natureza humana feminina.

No momento, do ponto de vista feminino, o senhor não passa de um refúgio. Ninguém quer saber do senhor. O que é que uma mulher vai fazer com uma coisa que não interessa a ninguém? Nada. Mas olhe de outro ângulo. Suponhamos que sua mulher descubra que você também está louco para recuperar a liberdade, da mesma maneira que ela.

— Ela ia ficar muito satisfeita.

— Ia, mas não vai! Além do mais, ela vai ver que você conseguiu deixar uma moça fascinante interessada... uma moça que poderia escolher quem bem quisesse. Isso vai logo aumentar a sua cotação na bolsa. Sua mulher sabe que os amigos vão dizer que você estava cansado dela e quer se casar com uma mulher mais atraente. E isso vai aborrecê-la.

— O senhor acha?

— Tenho certeza. Você não vai ser mais o "coitado do Reggie". Vai ser o "esperto do Reggie". Que diferença, meu caro. Sem renunciar ao outro, ela vai tentar reconquistar você. Mas você não vai ser reconquistado. Vai se mostrar sensato e usar todos os argumentos que ela própria usa. "Acho melhor nos separarmos." "Incompatibilidade de gênios." Você vai notar que, embora seja verdade o que ela diga, que você nunca a compreendeu, também é verdade que *ela* nunca compreendeu *você*. Mas não vamos entrar agora nesses detalhes; no momento certo você receberá as instruções completas.

O sr. Wade parecia ainda estar em dúvida.

— O senhor acha mesmo que o plano vai dar resultado? — perguntou hesitante.

— Não vou lhe dizer que tenho certeza absoluta — disse Parker Pyne com cautela. — Há uma vaga possibilidade de que sua mulher esteja tão perdidamente apaixonada por esse outro sujeito que nada que você disser ou fizer vai afetá-la, mas acho que o problema não é esse. Provavelmente ela começou esse caso por tédio, um tédio criado pela atmosfera de sua devoção fácil de contentar e da absoluta fidelidade com que a cercou, de uma maneira muito errada. Se seguir minhas instruções, suas possibilidades são de, digamos, 97%.

— Bastante boas — disse o sr. Wade. — Vou arriscar. Por falar nisso... ahn... quanto vai ser?

— Meu preço é duzentos guinéus, adiantados.

O sr. Wade tirou o talão de cheques do bolso.

Os jardins de Lorrimer Court eram encantadores ao sol da tarde. Íris Wade, deitada numa espreguiçadeira, tornara a visão ainda mais agradável à vista. Ela estava com uma roupa em delicados tons de lilás, e a pintura aplicada com habilidade lhe dava um ar mais jovem do que os seus 35 anos.

Estava conversando com a sra. Massington, que sempre achou muito simpática. Ambas viviam atribuladas com seus maridos atléticos, que falavam ora de ações, ora de mercado de valores, ora de golfe.

— ...e assim nós aprendemos a viver e deixar os outros viverem — finalizou Íris.

— Você é maravilhosa, minha querida — disse a sra. Massington, e rapidamente acrescentou: — Me diga quem *é* a moça?

Íris levantou os ombros com ar enfastiado.

— Nem me pergunte! Reggie foi quem a descobriu. Ela é a amiguinha de Reggie! Foi tão engraçado! Você sabe que ele nunca olhou para outra mulher. Procurou-me e hesitou muito para falar, até que disse que queria convidar a srta. De Sara para passar o fim de semana aqui. É claro que eu ri... Não pude evitar. *Reggie*, imagine! E aí está ela.

— Onde foi que ele a conheceu?

— Não sei. Não deu maiores explicações.

— Talvez já a conheça há muito tempo.

— Não acredito! — disse a sra. Wade. — É claro — continuou ela — que estou muito satisfeita... satisfeitíssima. Quero dizer, isso simplifica tanto as coisas para mim. Você *sabe, fiquei* muito preocupada com Reggie; ele é tão indefeso! Foi por isso que falei com Sinclair... íamos feri-lo tanto! Mas ele insistiu em que Reggie ia esquecer logo; parece que ele tinha razão. Há dois dias Reggie parecia inconsolável... e agora ele convida essa moça! Como lhe disse, estou *encantada*! Gosto de vê-lo se distraindo. Imagino que o pobre coitado pensou que eu fosse ficar com ciúmes. Que ideia absurda! "Claro" — disse eu — "traga a sua amiguinha". Coitado do Reggie, como se aquela moça desse alguma atenção a ele. Ela só quer se divertir.

— Ela é muito atraente — comentou a sra. Massington. — Muito perigosa, não sei se você entende. O tipo de garota que só quer saber de homens. Seja como for, não me parece uma moça direita.

— Provavelmente não é mesmo.

— Ela tem roupas maravilhosas — observou a sra. Massington.

— Talvez um pouco exóticas demais, não acha?

— Mas caríssimas.

— Grã-finas. Ela tem um ar muito grã-fino.

— Estão chegando — disse a sra. Massington.

Madeleine de Sara e Reggie Wade vinham pelo gramado. Riam, conversavam e pareciam muito felizes. Madeleine se atirou numa cadeira, tirou o boné que estava usando e passou as mãos pelos seus belíssimos cachos pretos. Era realmente muito bonita.

— Passamos uma tarde maravilhosa! — exclamou ela.

— Estou morrendo de calor. Devo estar com uma cara horrorosa.

Reggie começou a falar com nervosismo quando ouviu a sua deixa.

— Você está... você está... — Sorriu. — Não vou dizer — completou.

Os olhos de Madeleine encontraram os dele. A sra. Massington reparou.

— A senhora devia jogar golfe — disse Madeleine para a sua anfitriã. — Não sabe o que está perdendo. Por que não tenta? Tenho uma amiga que começou há pouco tempo e aprendeu muito bem. E ela já era bem mais velha que a senhora.

— Não ligo para esse tipo de coisa — disse Íris com frieza.

— A senhora não é boa nos esportes? Ah, coitada! Isso deixa uma pessoa tão por fora de tudo. Mas, realmente, sra. Wade, os treinamentos hoje em dia são tão bons que qualquer um pode jogar bem. Treinei muito tênis no verão passado. É claro que no golfe eu nem tenho esperanças...

— Bobagem! — disse Reggie. — Você só precisa treinar um pouquinho mais. Reparou como conseguiu dar umas boas tacadas esta tarde?

— Porque você me ensinou. Você é um professor maravilhoso! Muitas pessoas simplesmente não conseguem ensinar aos outros. Você tem esse dom. Deve ser maravilhoso ser feito você... saber fazer tudo!

— Ora, eu não sei fazer nada... não sirvo para nada... — Reggie estava confuso.

— A senhora deve se orgulhar muito dele — disse Madeleine para a sra. Wade. — Como foi que conseguiu mantê-lo preso esses anos todos? Deve ter sido muito esperta. Ou o escondeu o tempo todo?

Sua rival não deu resposta. Apanhou um livro com a mão trêmula.

Reggie resmungou que precisava trocar a roupa e saiu.

— Foi tão gentil da sua parte me receber aqui — disse Madeleine para ela. — Algumas mulheres suspeitam tanto das amigas de seus maridos. Sempre achei que o ciúme é uma coisa absurda, a senhora não acha?

— Acho, sim. Nunca me passou pela cabeça ter ciúmes de Reggie.

— É tão maravilhoso da sua parte! Porque qualquer pessoa vê logo que ele é um homem extremamente atraente para as mulheres. Foi um choque para mim

quando soube que era casado. Por que todos os homens atraentes são agarrados tão cedo?
— Fico satisfeita de ver que você acha Reggie assim tão atraente — disse a sra. Wade.
— Bem, e ele é mesmo, não é? Tão bonito e tão bom nos esportes. E essa pretensa indiferença com as mulheres. Isso atiça a gente, é claro.
— Suponho que você tem uma porção de amigos homens — disse a sra. Wade.
— É, tenho sim! Gosto mais dos homens que das mulheres. Nunca simpatizo muito com elas. Não sei por quê.
— Talvez porque você seja simpática demais com os maridos delas — sugeriu a sra. Massington com uma risadinha aguda.
— Bem, a gente às vezes fica com pena das pessoas. Tantos homens simpáticos presos a umas mulheres chatas. Sabe, não é, mulheres *pseudoartísticas*, metidas a intelectuais. É claro que os homens preferem alguém mais jovem, mais alegre, para conversar. Acho que as concepções modernas de casamento e divórcio são muito sensatas. Começar de novo enquanto ainda se é jovem, com alguém que tenha os mesmos gostos e as mesmas ideias. No final das contas, é melhor para todo mundo. Isto é, as mulheres intelectualizadas provavelmente vão agarrar algum cabeludo que as satisfaça. Acho que começar de novo enquanto é tempo é uma coisa muito certa, não acha, sra. Wade?
— Sem dúvida.
Madeleine pareceu dar-se conta de certo friozinho da tarde. Ela resmungou que precisava trocar de roupa para o chá e deixou as outras duas.
— Estas moças modernas são detestáveis — disse a sra. Wade. — Não têm nada na cabeça.
— Ela tem uma ideia na cabeça, Íris — disse a sra. Massington. — Esta moça está apaixonada por Reggie.
— Bobagem!

— Está, sim. Eu vi como olhou para ele ainda agora. Ela está pouco ligando que ele seja casado ou não. Quer ficar com ele. Acho isso revoltante.

A sra. Wade ficou alguns minutos em silêncio, e depois riu, indecisa.

— Afinal de contas — disse ela —, que me importa?

Como Madeleine, a sra. Wade também subiu. O marido estava trocando de roupa no quarto. Cantarolava.

— Divertiu-se, querido? — perguntou a sra. Wade.

— Ah, sim... muito.

— Fico satisfeita. Quero que você se sinta feliz.

— Sei, sei... estou me sentindo feliz.

Representar não era o forte de Reggie Wade, mas do jeito que as coisas aconteceram o constrangimento provocado pelo fingimento funcionou às mil maravilhas. Ele evitou o olhar da mulher e teve um sobressalto quando ela falou. Sentiu-se envergonhado, odiou toda aquela farsa. Nada teria produzido um efeito melhor. Ele era o retrato perfeito de uma consciência culpada.

— Há quanto tempo você a conhece? — perguntou de repente a sra. Wade.

— Ahn... quem?

— A srta. De Sara, é claro.

— Bom, não sei direito. Isto é... ora, há algum tempo.

— Ah, é? Você nunca me falou dela.

— Não? Devo ter me esquecido.

— Esqueceu mesmo! — disse a sra. Wade, e depois saiu, num torvelinho de babados lilases.

Depois do chá, o sr. Wade foi mostrar o roseiral a Madeleine.

Andaram pela alameda sentindo os dois pares de olhos que os seguiam.

— Olhe aqui! — A salvo dos olhares, lá no roseiral, o sr. Wade desabafou. — Olhe aqui, acho que vou desistir. Minha mulher passou a me olhar como se me odiasse!

— Não se preocupe — disse Madeleine. — Está tudo indo bem.

— Você acha mesmo? Bom, é que eu não queria que ela ficasse com raiva de mim. Ela disse coisas muito desagradáveis durante o chá.

— Está tudo certo — insistiu Madeleine. — Você está representando muito bem.

— Você acha mesmo?

— Acho. — Ela baixou a voz. — Sua mulher está dando a volta no terraço. Ela quer ver o que nós estamos fazendo. É melhor você me beijar.

— Ahn! — disse o sr. Wade nervoso. — É preciso mesmo? Quero dizer...

— Beije-me! — repetiu Madeleine autoritária.

O sr. Wade a beijou. Sua falta de entusiasmo foi amplamente compensada por Madeleine. Ela o enlaçou nos braços. O sr. Wade titubeou.

— Detestou tanto assim? — perguntou Madeleine.

— Ahn, claro que não — disse ele galantemente. — Só... só que me pegou de surpresa. Acho que já ficamos muito tempo aqui no roseiral, não é?

— Acho que sim — disse Madeleine.

Missão cumprida aqui. Voltaram para o gramado. A sra. Massington informou que a sra. Wade tinha ido se deitar.

Mais tarde, o sr. Wade procurou Madeleine com o rosto perturbado.

— Ela está num estado deplorável... histérica.

— Ótimo.

— Ela me viu beijando você.

— Bom, era o que nós pretendíamos.

— Eu sei, mas eu não podia dizer isso, não é? Eu nem sabia o que dizer. Disse apenas que... que... bom, que aconteceu.

— Ótimo.

— Ela disse que você estava pensando em casar comigo e que não valia nada. Isso me aborreceu... me pareceu muito desagradável para você. Isto é, porque você está só representando um papel e fazendo o seu trabalho. Eu

disse que tinha o maior respeito por você e o que ela estava dizendo não era verdade, de modo algum. Acho que cheguei a me zangar mesmo quando falei isso.
— Fantástico!
— Então ela disse para eu ir embora. Disse que nunca mais falaria comigo. Falou em fazer as malas e ir embora de uma vez por todas.
O rosto dele estava consternado.
Madeleine sorriu.
— Vou lhe dizer o que deve fazer agora. Diga para ela que você é quem vai embora, que fará as malas e irá para a cidade.
— Mas não quero ir!
— Está bem. Você não precisa ir. Sua mulher vai detestar a ideia de saber que você está se divertindo em Londres.

Na manhã seguinte, Reggie Wade tinha um novo relatório a comunicar.
— Ela disse que esteve pensando e que não é direito ela ir embora agora que concordou em ficar mais seis meses. Mas disse que, se eu tenho o direito de trazer minhas amigas aqui, ela não vê por que não há de trazer também os amigos dela. Convidou Sinclair Jordan.
— É *ele*?
— É, e eu não admito que este homem ponha os pés em minha casa!
— É preciso — disse Madeleine. — Não se preocupe. Eu cuido dele. Diga a ela que pensou um pouco e chegou à conclusão de que não há nenhum problema e que ela também não se importará que você me convide para ficar mais um pouco.
— Ai, meu Deus! — Suspirou o sr. Wade.
— Vamos, não perca a cabeça — disse Madeleine. — Está tudo correndo às mil maravilhas. Mais uns 15 dias... e todos os seus problemas vão acabar.
— Mais uns 15 dias? Você acredita mesmo? — perguntou o sr. Wade.

— Se eu acredito? Tenho certeza — respondeu Madeleine.

Uma semana depois, Madeleine de Sara entrou no escritório de Parker Pyne e afundou pesadamente numa cadeira.

— Entrou a Rainha das *Vamps* — disse Parker Pyne, sorrindo.

— *Vamps!* — exclamou Madeleine. Sorriu ligeiramente. — Nunca fiz tanta força para ser uma *vamp*. Aquele homem é obcecado pela mulher. Já é doença.

Parker Pyne sorriu.

— É mesmo. Bom, de certa forma isso facilitou o nosso trabalho. Não é qualquer homem, minha querida Madeleine, que eu exporia ao seu fascínio com tanta tranquilidade.

A moça riu.

— Se soubesse a dificuldade que tive para fazer ele me beijar como se estivesse gostando!

— Uma experiência nova para você, minha querida. E o seu trabalho terminou?

— Terminou. Acho que deu certo. Houve uma cena tremenda ontem à noite. Espere aí, meu último relatório foi há três dias?

— Foi.

— Bom, como já disse, só tive que olhar uma vez para aquele verme miserável, o Sinclair Jordan. Ele ficou logo caído por mim... principalmente porque achou, pelas minhas roupas, que eu tinha dinheiro. A sra. Wade ficou furiosa, é claro: seus dois homens se desdobrando em atenções para comigo. Mostrei logo quem é que eu preferia. Zombei de Sinclair Jordan... na frente dela e na frente dele. Ri das roupas dele e do tamanho do cabelo. Mostrei que ele tinha as pernas tortas.

— Excelente técnica — disse Pyne, satisfeito.

— A coisa ferveu ontem à noite. A sra. Wade abriu o jogo. Acusou-me de destruir o seu lar. Reggie Wade falou de Sinclair Jordan. Ela disse que aquilo tinha sido o

resultado de sua infelicidade e de sua solidão. Ela já notara o ar ausente do marido, mas não tinha ideia da causa. Disse que sempre tinha sido feliz, que adorava o marido e ele sabia disso, e que só queria a ele, a mais ninguém.
"Eu disse que era tarde demais. O sr. Wade seguiu à risca as instruções. Disse-lhe que não ligava a mínima! Ia se casar comigo! A sra. Wade podia ficar com seu Sinclair o quanto quisesse. Não havia razão para esperar seis meses. Era absurdo! Os papéis do divórcio podiam ser encaminhados imediatamente.
"Dentro de mais alguns dias, disse ele, tudo estaria esclarecido e ela podia instruir seus advogados. Disse que não podia viver sem mim. A sra. Wade apertou o peito e falou que estava com o coração enfraquecido e tiveram de lhe dar um conhaque. Ele não se deixou amolecer. Veio para a cidade hoje de manhã, e tenho certeza de que a estas horas ela já veio atrás dele."
— Então está tudo certo — disse Pyne alegremente.
— Um resultado muito satisfatório.
A porta abriu, e apareceu Reggie Wade.
— Ela está aqui? — perguntou ele, entrando pela sala.
— Onde está ela? — Ele viu Madeleine. — Querida! — gritou e segurou-lhe as duas mãos. — Querida, querida. Você sabia, não é? Que era tudo verdade ontem à noite... que tudo o que disse a Íris era verdade? Não sei como pude ficar cego tanto tempo. Mas percebi nos últimos três dias...
— Percebeu o quê? — disse Madeleine, debilmente.
— Que eu adoro você. Que não há nenhuma outra mulher no mundo igual a você. Íris pode pedir o divórcio e, quando estiver tudo resolvido, você vai se casar comigo, não é? Diga que sim. Madeleine, eu adoro você!
Ele apertou a paralisada Madeleine em seus braços, enquanto a porta se abria outra vez, agora para deixar passar uma mulher magra, com um vestido verde desajeitado.
— Eu sabia! — disse a recém-chegada. — Eu segui você! Sabia que vinha se encontrar com ela!

— Eu lhe asseguro... — começou Parker Pyne, recuperando-se do espanto.

A intrusa não tomou conhecimento dele. Continuou:

— Ah, Reggie, você não pode despedaçar assim o meu coração! Volte para mim! Não vou dizer uma palavra sobre tudo isso! Vou aprender golfe! Só terei amigos de quem você goste. Depois de todos esses anos em que fomos felizes juntos...

— Até agora eu nunca fui feliz — disse o sr. Wade olhando para Madeleine. — Esqueça, Íris, você não queria se casar com aquela mula do Jordan? Por que não casa logo?

A sra. Wade deu um gemido.

— Odeio você! Odeio a sua própria sombra! — Virou-se para Madeleine e acusou: — Mulher viciosa! Seu vampiro horrível! Roubando o meu marido!

— Eu não quero o seu marido — disse Madeleine perturbada.

— Madeleine!

O sr. Wade olhou angustiado para ela.

— Por favor, vá embora — pediu Madeleine.

— Veja, meu bem, não estou fingindo. Foi isso mesmo que eu quis dizer!

— Vá embora! — gritou Madeleine, histérica. — *Vá embora!*

Reggie caminhou relutante até a porta.

— Eu vou voltar — avisou. — Você não está me vendo pela última vez.

Saiu, batendo a porta.

— Moças como você deviam ser açoitadas e marcadas a ferro! — gritou a sra. Wade. — Reggie era um anjo para mim até você aparecer. Agora ele está tão mudado que eu nem o conheço mais! — Com um soluço, correu atrás do marido.

Madeleine e Parker Pyne se entreolharam.

— Não posso fazer nada — disse Madeleine desorientada. — Ele é um homem muito simpático... um amor!... mas não quero me casar com ele. Eu nem suspeitava dis-

so tudo. Se visse a dificuldade que tive para fazer com que me beijasse!
— Bom! — disse Parker Pyne. — Sinto muito admitir isto, mas foi um erro de julgamento da minha parte...
— Balançou a cabeça tristemente e, puxando o fichário do sr. Wade, escreveu:

FRACASSO: *causas naturais.*
N.B. — *Deviam ter sido previstas.*

O caso do empregado de escritório

Parker Pyne reclinou-se pensativo em sua cadeira giratória e observou o visitante. Era um homem baixo, troncudo, de uns 45 anos, que olhava para ele com olhos ao mesmo tempo tímidos, sôfregos e intrigados, que deixavam entrever uma esperança aflita.

— Vi o seu anúncio no jornal — disse o homenzinho, nervosamente.

— O senhor tem algum problema, sr. Roberts?

— Não... não é bem um problema.

— O senhor é feliz?

— Eu não diria que sou infeliz. Tenho muito o que agradecer à vida.

— Todos nós temos — disse Parker Pyne. — Mas, quando é preciso se lembrar disso, é mau sinal.

— Eu sei — disse o homenzinho vivamente. — É exatamente isso! O senhor acertou em cheio!

— Que tal o senhor me contar tudo, hein? — sugeriu Parker Pyne.

— Não tenho muita coisa para contar. Como lhe disse, não posso me queixar muito da vida. Tenho um emprego, consegui economizar um pouco de dinheiro, as crianças são fortes e sadias.

— Então o senhor quer... o quê?

— Eu... não sei. — Corou. — Deve estar pensando que sou um idiota.

— Evidente que não — disse Pyne.

Com um hábil interrogatório, extraiu outras confidências. Ficou sabendo a respeito do trabalho do sr. Roberts numa firma muito conhecida e de seus progressos, lentos mas firmes. Soube de seu casamento, de sua luta para manter uma aparência decente, para educar as crianças e tê-las sempre "bem-vestidas"; dos planos, dos projetos, das economias e das dificuldades em economizar todo ano algumas libras. Conheceu, na verdade, a saga de uma vida de esforços contínuos pela sobrevivência.

— Bem, agora o senhor vê como é — confessou o sr. Roberts. — A mulher está fora. Foi passar uns dias com a mãe e levou as duas crianças. Uma mudança para eles e um descanso para ela. Não há quarto para mim, e nós não temos meios de ir para outro lugar. E sozinho, lendo o jornal, vi o seu anúncio, e ele me fez pensar. Tenho 48 anos. Fiquei pensando... Acontecem coisas em todos os lugares — concluiu, toda a sua alma suburbana e ansiosa nos olhos.

— O senhor queria — disse o sr. Parker Pyne — viver dez minutos de uma vida *gloriosa*?

— Bem, eu não colocaria as coisas dessa maneira. Mas talvez o senhor tenha razão. Eu só gostaria de sair da rotina. Voltaria a ela outra vez, mesmo com prazer... se ao menos tivesse alguma coisa para me lembrar... — Olhou inquieto para o outro homem. — Será que é possível, senhor? Temo... temo que não possa pagar muito.

— Quanto o senhor pode pagar?

— Posso arranjar umas cinco libras, senhor. — Ele esperou, a respiração presa.

— Cinco libras — disse Parker Pyne. — Acho... acho... que posso arranjar alguma coisa por cinco libras. O senhor se opõe ao perigo? — acrescentou com vivacidade.

Um leve rubor apareceu no rosto descorado do sr. Roberts.

— Perigo, o senhor disse? Oh, não, absolutamente. Eu... eu nunca fiz nada perigoso.

Parker Pyne sorriu.

— Apareça aqui amanhã de novo e eu lhe digo o que posso fazer pelo senhor.

O Bon Voyageur é uma hospedaria pouco conhecida. É mais um restaurante frequentado por uns poucos *habitués* que não gostam de estranhos.

Foi no Bon Voyageur que Parker Pyne chegou e foi recebido com respeitosa consideração.

— O sr. Bonnington está? — perguntou ele.

— Sim, senhor. Está em sua mesa de costume.

— Ótimo. Vou vê-lo.

O sr. Bonnington era um cavalheiro de aparência militar e com um rosto um tanto ou quanto bovino. Cumprimentou o amigo com prazer.

— Alô, Parker. Está difícil ver você por esses dias. Não sabia que vinha por estas bandas.

— Venho de vez em quando. Especialmente quando quero encontrar um velho amigo.

— Você está se referindo a mim?

— Você mesmo. Por falar nisso, Lucas, estive pensando naquela conversa do outro dia.

— O caso Peterfield? Viu as últimas nos jornais? Não, não deve ter visto ainda. Não vai sair nada antes de hoje à noite.

— Quais são as últimas?

— Eles assassinaram Peterfield na noite passada — disse o sr. Bonnington comendo placidamente sua salada.

— Deus do Céu! — exclamou Pyne.

— Pois eu não me surpreendi — disse o sr. Bonnington. — Era um velho teimoso, o Peterfield. Não escutava o que dizíamos. Sempre insistia em guardar os planos com ele.

— Eles conseguiram os planos?

— Não, parece que apareceu uma mulher que deu ao professor uma receita para cozinhar presunto. A mula velha, distraído como sempre, guardou a receita no cofre e os planos na cozinha.
— Foi muita sorte.
— Providencial, eu diria. Mas ainda não sei quem é que vai levá-los para Genebra. Maitland está no hospital. Carslake está em Berlim. Eu não posso ir. Só resta o jovem Hooper. — Olhou para o amigo.
— Sua opinião continua a mesma? — perguntou Parker Pyne.
— A mesmíssima. Eles o compraram! Eu sei. Não há a menor prova, Parker, mas eu sei quando um sujeito é trapaceiro! E eu quero que esses planos cheguem a Genebra. Pela primeira vez na história, uma invenção não vai ser vendida a uma nação. Vai ser entregue voluntariamente. É o maior gesto de paz que já aconteceu, e é preciso que se concretize. E Hooper é um vigarista. Você vai ver, ele será narcotizado no trem! Se for de avião, vai aterrissar em algum lugar conveniente! Mas, apesar de tudo, não posso passar por cima dele! Disciplina! É preciso ter disciplina! Era sobre isso que eu lhe falava outro dia.
— Você me perguntou se eu conhecia alguém.
— Sim. Pensei que talvez no seu tipo de negócio... Algum aventureiro louco para entrar numa briga. Qualquer um mandado por *mim* corre um grande risco de ser liquidado. O seu homem provavelmente não seria suspeito de nada. Mas é preciso que ele tenha muita coragem.
— Acho que tenho alguém para isso.
— Graça a Deus ainda tem gente que gosta de correr riscos. Está combinado, então?
— Combinado — disse Parker Pyne.

Parker Pyne estava resumindo suas instruções.
— Então, está tudo claro? Você vai viajar num carro--leito da primeira classe até Genebra. Deixará Londres

às 22h45, via Folkestone e Boulogne. Pega o carro-leito em Boulogne. Chega a Genebra às oito horas da manhã seguinte. Está aqui o endereço onde deverá apresentar--se. Por favor, guarde-o de memória, pois vou destruir o papel. Depois vá para o hotel e aguarde as futuras instruções. Aqui há dinheiro suficiente em notas francesas e suíças, e bastante trocado. Compreendeu?

— Sim, senhor. — Os olhos de Roberts brilhavam de emoção. — Perdão, senhor, mas eu tenho o direito de saber... ahn... de saber alguma coisa sobre o que estou levando?

Parker Pyne sorriu com benevolência.

— Você está levando um criptograma que revela o esconderijo secreto das joias da coroa da Rússia — disse solenemente. — Evidentemente, há agentes bolcheviques a postos, prontos para interceptá-lo. Se for necessário falar sobre a sua própria pessoa, recomendo-lhe que diga que herdou um pouco de dinheiro e que está aproveitando para tirar umas férias no exterior.

O sr. Roberts tomou uma xícara de café e olhou para o lago de Genebra. Estava feliz, mas, ao mesmo tempo, desapontado.

Sentia-se feliz, porque pela primeira vez em sua vida ele estava num país estrangeiro. Além disso, estava hospedado num tipo de hotel no qual nunca se hospedaria outra vez e, pelo menos agora, não tinha que se preocupar com dinheiro! Tinha um quarto com banheiro particular, refeições deliciosas, um serviço perfeito. Todas essas coisas o sr. Roberts apreciava muitíssimo.

Estava desapontado, porque nada que pudesse ser descrito como aventura acontecera em sua viagem. Nenhum bolchevique disfarçado ou algum russo misterioso cruzara o seu caminho. Um bate-papo agradável no trem com um viajante comercial francês, que falava um inglês excelente, fora o único contato humano que tivera até então. Escondera os papéis junto com sua esponja de banho, como lhe fora dito, e os entregara seguindo as instruções. Não houve nenhum risco, nenhuma fuga mirabolante. O sr. Roberts estava muito desapontado.

Foi nesse momento que um homem alto, barbado, murmurou:

— *Pardon* — e sentou-se do outro lado da mesinha.

— O senhor vai me desculpar, mas acho que conhece um amigo meu. As iniciais são *P.P.*

O sr. Roberts ficou eletrizado. Finalmente, um russo misterioso.

— Co... conheço, sim.

— Então acho que podemos nos entender — disse o estranho.

O sr. Roberts olhou-o atentamente. Isso era mais do que ele tinha imaginado! O estranho era um homem de cerca de cinquenta anos, de aparência distinta, porém estrangeirada. Usava um monóculo e uma pequena fita colorida na lapela.

— A sua missão foi cumprida com muito êxito — disse o estranho. — Está preparado para executar outra?

— Certamente. Claro que sim!

— Bom. O senhor vai reservar um lugar no carro--leito do trem Genebra–Paris para amanhã à noite. Peça o leito nº 9.

— E se não estiver vago?

— Vai estar vago. Isso já foi arranjado.

— Leito nº 9 — repetiu Roberts. — Já compreendi.

— Durante a viagem, alguém vai lhe dizer. "*Pardon*, Monsieur, mas acho que esteve há pouco tempo em Grasse, não?" Vai responder: "Foi, no mês passado." A outra pessoa vai dizer: "O senhor se interessa por essências?"; e o senhor responderá: "Sim, sou fabricante de óleo de jasmim sintético." Depois o senhor se colocará inteiramente à disposição da pessoa que lhe falou. Por falar nisso, o senhor está armado?

— Não — disse o sr. Roberts com um leve tremor. — Não, eu não pensei, isto é...

— Dá-se um jeito — disse o homem barbado, olhando em torno. Não havia ninguém por perto. Algo duro e brilhante foi colocado nas mãos do sr. Roberts. — Uma arma pequena, mas muito eficaz — comentou o estranho sorrindo.

O sr. Roberts, que nunca dera um tiro de revólver em sua vida, colocou-o no bolso, meio desajeitado. Tinha uma sensação desagradável de que aquilo ia disparar a qualquer momento.

Repetiram novamente as palavras da senha. Então o novo amigo se levantou.

— Desejo-lhe boa sorte — disse ele. — Que o senhor possa se desincumbir sem problemas. É um homem de coragem, sr. Roberts.

"Sou mesmo?", pensou Roberts quando o outro foi embora. "Tenho certeza de que não quero morrer. Isso não vale a pena."

Uma vibração agradável percorreu a sua espinha, contrabalançada por uma outra que não era lá tão agradável.

Foi para o seu quarto e examinou a arma. Ainda não sabia como funcionava e desejou que não fosse necessário usá-la.

Saiu para marcar a passagem.

O trem deixou Genebra às 21h30. Roberts chegou à estação a tempo. O condutor do carro-leito pegou seu bilhete e o passaporte, e aguardou enquanto um carregador levava a mala de Roberts. Havia outra bagagem ali: uma valise de couro de porco e uma mala de viagem de dois compartimentos.

— Nº 9 é o leito inferior — disse o condutor.

Ao se virar para sair da cabine, deu um encontrão num homem grande que entrava. Eles se afastaram pedindo desculpas. Roberts em inglês e o estranho em francês. Era um homem alto, corpulento, com a cabeça raspada e óculos espessos através dos quais se viam olhos que brilhavam desconfiados.

"Uma pessoa a temer", disse Roberts para si mesmo. Pressentiu algo vagamente sinistro sobre o seu companheiro de viagem. Teria sido para vigiar este homem que lhe fora indicado o leito n° 9? Imaginou que fosse.

Saiu outra vez para o corredor. Ainda faltavam dez minutos para o trem partir, e ele pensou em andar um pouco pela plataforma. A meio caminho do corredor, pôs-se de lado para dar passagem a uma senhora. Ela estava entrando no vagão, e o condutor a precedia com o bilhete na mão. Ao passar por Roberts, ela deixou cair a bolsa. O inglês apanhou-a e entregou-lhe de volta.

— Obrigada, Monsieur — disse ela em inglês, mas a sua voz era estrangeira, uma voz sonora, grave e muito sedutora. Quando ela estava quase passando por ele, hesitou e murmurou: — *Pardon,* Monsieur, mas acho que esteve há pouco tempo em Grasse, não?

O coração de Roberts deu um pulo de excitação. Ele devia pôr-se à disposição desta adorável criatura, porque ela era *adorável,* disso ele não tinha a menor dúvida. Não somente adorável, mas aristocrática e rica. Usava um casaco de pele para viagem e um elegante chapéu. Havia pérolas em torno do pescoço. Era morena e tinha os lábios vermelhos.

Roberts deu a resposta combinada:
— Foi, no mês passado.
— O senhor se interessa por essências?
— Sim, sou fabricante de óleo de jasmim sintético.

Ela abaixou a cabeça e seguiu, deixando um leve sussurro:
— No corredor, assim que o trem sair.

Os próximos dez minutos pareceram uma eternidade para Roberts. Enfim o trem saiu. Ele andou lentamente até o corredor. A senhora do casaco de pele estava lutando contra uma janela. Apressou-se em ajudá-la.

— Obrigada, Monsieur. Apenas um pouco de ar antes que eles fechem tudo — e continuou em voz suave, baixa e apressada: — Depois da fronteira, quando o nosso companheiro de viagem estiver dormindo... não antes... vá até o lavatório e entre na cabine do outro lado. Compreendeu?

— Sim — abaixou a janela e disse em voz alta: — Está melhor assim, Madame?

Retirou-se para o seu compartimento. Seu companheiro de viagem já estava estendido no leito de cima. Seus preparativos para a noite tinham sido visivelmente simples. Limitou-se a tirar a capa e as botas.

Roberts pensou no problema da sua roupa. Era claro que, se ele ia para a cabine de uma senhora, não ia se despir agora.

Procurou um par de chinelos, trocou-os pelas botinas e deitou-se, apagando as luzes. Alguns minutos depois, o homem lá de cima começou a ressonar.

Logo depois das dez horas, alcançaram a fronteira. A porta foi aberta; uma pergunta superficial: "Messieurs têm algo a declarar?" A porta foi fechada novamente. O trem partiu de Bellegarde.

O homem do leito de cima estava ressonando outra vez. Roberts deixou passar vinte minutos, pôs-se de pé e abriu a porta do compartimento do lavatório. Uma vez lá dentro, trancou a porta que estava atrás dele e olhou para a que estava do outro lado. Não estava trancada. Hesitou. Deveria bater?

Talvez fosse um absurdo bater à porta. Mas ele não gostava da ideia de entrar sem bater... Decidiu-se, abriu a porta devagar, mais ou menos uma polegada, e esperou. Aventurou-se mesmo a uma pequena tosse.

A resposta foi imediata. A porta foi escancarada, ele foi agarrado por um braço, puxado para a outra cabine, e a moça fechou e passou o trinco na porta.

Roberts ficou sem fôlego. Nunca imaginara nada assim tão maravilhoso. Ela estava usando uma levíssima camisola comprida de gaze creme e rendas. Encostou-se contra a porta que dava para o corredor, ofegante. Roberts lera a respeito de belas criaturas perseguidas e acuadas. Agora, pela primeira vez, ele via uma. Que visão emocionante!

— Graças a Deus! — murmurou a moça.

Ela era muito jovem, Roberts notou, e o seu encanto era tal que parecia um ser de outro mundo. Eis o romance finalmente... e ele estava ali!

Ela falou em voz baixa e rápida. Seu inglês era perfeito, mas o sotaque era totalmente estrangeiro.

— Estou muito contente que tenha vindo — disse ela. — Estava horrivelmente assustada. Vassilievitch está no trem. Sabe o que quer dizer isso?

Roberts não tinha ideia do que isso queria dizer, mas concordou com a cabeça.

— Pensei que tivesse conseguido despistá-lo. Devia ter visto logo. O que podemos fazer? Vassilievitch está na cabine ao lado da minha. Aconteça o que acontecer, ele não pode conseguir as joias. Mesmo que ele me mate, não deve pôr a mão nas joias.

— Ele não vai matá-la e não vai pôr a mão nas joias — disse Roberts com determinação.

— Então o que posso fazer com elas?

Roberts olhou para a porta trancada.

— A porta está trancada — disse.

A moça riu.

— O que são portas trancadas para Vassilievitch?

Roberts sentia-se cada vez mais e mais no meio de uma de suas novelas favoritas.

— Só há uma coisa a fazer. Dê-me as joias.

Ela olhou-o duvidosa.

— Elas valem 250 mil.

Roberts corou.

— Pode confiar em mim.

A moça hesitou ainda um momento e respondeu:

— Sim, vou confiar em você. — Fez um movimento rápido. Em seguida, entregou-lhe um par de meias enroladas, meias de seda, em teia de renda. — Guarde-as, meu amigo — disse ela ao espantado Roberts.

Ao apanhá-las, ele entendeu logo. Em vez de serem leves como o ar, as meias estavam estranhamente pesadas.
— Leve-as para a sua cabine — disse ela. — Você pode devolvê-las de manhã, se... se... se eu ainda estiver aqui.

Roberts pigarreou.

— Olhe aqui — disse. — A seu respeito — fez uma pausa. — Eu... eu preciso tomar conta de você. — Ele enrubesceu, num arroubo de emoção. — Aqui não, quero dizer... Vou ficar ali — apontou para o compartimento do lavatório.

— Se quiser pode ficar aqui... — Ela olhou para o leito superior desocupado.

Roberts corou até a raiz dos cabelos.

— Não, não — protestou ele. — Ali está bom. Se precisar de mim, é só chamar.

— Muito obrigada, meu amigo — disse a moça suavemente. Ela se deitou no leito de baixo, puxou o cobertor e sorriu agradecida para Roberts, que se retirou para o lavatório.

De repente — deve ter sido umas duas horas depois —, ele achou que tinha ouvido alguma coisa. Ficou à escuta. Nada. Talvez tivesse se enganado. E, no entanto, parecia que tinha ouvido um leve ruído na cabine ao lado. Suponhamos... apenas suponhamos...

Abriu a porta devagar. A cabine estava do mesmo jeito que a deixara, com uma luzinha fraca e azulada no teto. Ficou ali de pé com os olhos se acostumando pouco a pouco à penumbra. Conseguiu entrever o leito.

Viu que estava vazio! A moça não estava mais lá!

Acendeu a luz grande. A cabine estava vazia. Nesse momento, sentiu um cheiro. Apenas um sopro, mas reconheceu o odor adocicado e doentio do clorofórmio!

Saiu da cabine (agora a porta estava destrancada, reparou) para o corredor e olhou em todas as direções. Vazio! Seus olhos se dirigiram para a porta mais próxima da cabine da moça. Ela dissera que Vassilievtch estava na

cabine ao lado. Desajeitadamente, tentou girar a maçaneta. A porta estava trancada por dentro.
O que devia fazer? Pedir para entrar? Mas o homem se negaria, e, apesar de tudo, talvez a moça não estivesse lá! E, se estivesse, iria por acaso ficar muito satisfeita por ele ter feito uma demonstração pública do assunto? Já tinha sentido que o segredo era essencial na partida que estavam jogando.

O homenzinho preocupado vagou lentamente pelo corredor. Fez uma pausa na última cabine. A porta estava aberta e o condutor estava deitado, dormindo. E, por cima dele, num gancho, *estavam pendurados o seu casaco marrom e o boné*!

Num lampejo, Roberts decidiu o que ia fazer. Um minuto depois ele já tinha vestido o casaco e o boné e corria de volta pelo corredor. Parou na porta próxima à cabine da moça, armou-se de toda a sua resolução e bateu peremptoriamente.

Ao ver que suas batidas não eram respondidas, bateu outra vez com mais força.

— Monsieur — disse ele com seu melhor sotaque.

A porta abriu-se um pouquinho, e uma cabeça espiou para fora — cabeça de um estrangeiro de cabelos raspados, à exceção de um bigode preto. Era um rosto zangado, malévolo.

— *Qu'est-ce qu'il y a?* — perguntou secamente.

— *Votre passeport*, monsieur. — Roberts deu um passo atrás e fez um aceno com a cabeça.

O outro hesitou e deu um passo para fora do corredor. Roberts contara exatamente com isso. Se por acaso ele estivesse mesmo com a moça lá dentro, naturalmente não ia querer que o condutor entrasse. Como um relâmpago Roberts agiu. Com toda a sua força, empurrou o estrangeiro para um lado — o homem não estava prevenido, e o balanço do trem ajudou — pulou para dentro do compartimento, fechou a porta e trancou-se por dentro.

A moça estava deitada no leito, com uma mordaça na boca e os pulsos amarrados. Libertou-a imediatamente, e ela agarrou-se a ele com um soluço.

— Estou me sentindo tão fraca e insegura — murmurou ela. — Acho que foi o clorofórmio. Ele... ele as conseguiu?

— Não. — Roberts bateu em seu bolso. — Que vamos fazer agora? — perguntou ele.

A moça sentou-se. Estava voltando à razão. Olhou para a roupa dele.

— Como você foi esperto! Que boa ideia teve! Ele disse que me mataria se eu não dissesse onde estavam as joias. Eu estava com tanto medo! E então você chegou! — De repente ela riu. — Mas nós passamos a perna nele! Não ousará fazer mais nada. Não pode nem mesmo voltar para a sua própria cabine. Vamos ficar aqui até de manhã. Provavelmente ele saltará em Dijon; vamos parar lá daqui a uma meia hora. Ele telegrafará para Paris, e pegarão a nossa pista lá. Nesse meio-tempo, é melhor você jogar fora este casaco e este boné pela janela. Eles podem deixá-lo em apuros.

Roberts obedeceu.

— Não podemos dormir — decidiu a moça. — Precisamos ficar de guarda até de manhã.

Foi uma vigília estranha, excitante. Às seis horas da manhã, Roberts abriu a porta cautelosamente e deu uma olhada para fora. Não havia ninguém à vista. A moça entrou depressa em sua própria cabine. Roberts a seguiu. O local fora visivelmente saqueado. Entrou de volta em seu próprio compartimento através do lavatório. O seu companheiro de viagem continuava ressonando.

Chegaram a Paris às sete horas. O condutor reclamava a perda do casaco e do boné. Ele ainda não descobrira a falta de um dos passageiros.

Iniciaram uma caçada muito divertida. A moça e Roberts tomaram táxi atrás de táxi através de Paris. Entraram em hotéis e restaurantes por uma porta e saíram por outra. Finalmente a moça deu um suspiro.

— Tenho certeza de que não vamos mais ser seguidos — disse ela. — Nós os despistamos.

Tomaram café e dirigiram-se para Le Bourget. Três horas depois estavam chegando ao aeroporto de Croydon. Roberts nunca voara antes.

Em Croydon, um senhor alto e idoso, que lembrava vagamente o mentor do sr. Roberts em Genebra, esperava por eles. Cumprimentou a moça com um respeito especial.

— O carro está aqui, Madame — disse.

— Este cavalheiro nos acompanhará, Paul! — disse a moça. E a Roberts: — O conde Paul Stepanyi.

O carro era uma enorme limusine. Andaram cerca de uma hora, entraram nos terrenos de uma casa de campo e pararam em frente às portas de uma imponente mansão. O sr. Roberts foi levado para uma sala mobiliada como um estúdio. Ali, entregou o precioso par de meias.

Foi deixado a sós por um momento. Nesse momento, o conde Stepanyi voltou.

— Sr. Roberts — disse ele —, nossa gratidão eterna. O senhor provou ser um homem de coragem e de muita habilidade. — Trazia na mãos uma caixa de marroquino vermelho. — Permita-me conferir-lhe a Ordem de Santo Estanislau, décima classe com lauréis.

Como num sonho Roberts abriu a caixa e olhou para a condecoração preciosa. O idoso cavalheiro ainda estava falando.

— A grã-duquesa Olga deseja lhe agradecer pessoalmente antes de partir.

Foi levado até uma enorme sala de visitas. Ali, muito bonita com um vestido vaporoso, estava a sua companheira de viagem.

— Devo-lhe minha vida, sr. Roberts — disse a grã--duquesa. Ela estendeu a mão. Roberts beijou-a. Ela se inclinou subitamente para ele.

— Você é um homem de coragem — disse ela. Seus lábios se encontraram; um sopro de um rico perfume oriental o rodeou. Por um momento ele teve entre os braços aquele corpo lindo e esbelto...

Ainda estava sonhando quando alguém lhe disse:

— O automóvel o levará aonde o senhor quiser.

Uma hora depois, o carro voltou para a grã-duquesa Olga. Ela entrou, seguida pelo cavalheiro de cabelos brancos, que já tirara a barba para refrescar-se. O carro deixou a grã-duquesa Olga em uma casa em Streatham. Ela entrou, e uma senhora idosa olhou-a por cima de uma mesa posta para o chá.

— Ah, Maggie, querida, você já está de volta!

No expresso Genebra-Paris esta moça era a grã-duquesa Olga; no escritório de Parker Pyne ela era Madeleine de Sara; na casa de Streatham, era Maggie Sayers, a quarta filha de uma família honesta e trabalhadora.

Como as pessoas se enganam!

Parker Pyne almoçava com um amigo.

— Parabéns — disse o último. — Seu homem levou tudo a cabo sem um tropeço. A quadrilha de Tormali deve estar dando tratos à bola para descobrir como foi que os planos da arma lhe escaparam. Você disse a seu emissário o que era que ele estava levando?

— Não. Achei melhor... fantasiar.

— Muito discreto de sua parte.

— Não foi exatamente discrição. Eu queria que ele se divertisse um pouco. Imaginei que talvez achasse essa história de arma um pouco enfadonha. Queria que ele tivesse umas aventuras.

— Enfadonha? — indagou o sr. Bonnington, olhando para ele. — Olhe, eles o teriam assassinado assim que topassem com ele.

— Eu sei — disse Parker Pyne suavemente. — Mas eu não queria que ele fosse assassinado.

— Você ganha muito dinheiro em seus negócios, Parker? — perguntou o sr. Bonnington.

— Às vezes perco — disse Parker Pyne. — Isto é, quando vale a pena.

Três homens furiosos xingavam-se mutuamente em Paris.

— Aquele maldito Hooper! — dizia um deles. — Ele nos traiu.

— Os planos não foram levados por ninguém do Serviço — disse o segundo. — Mas eles vieram na quarta-feira, tenho absoluta certeza. E é por isso que eu digo que foi *você* quem trabalhou mal.

— Eu não — retrucou o terceiro mal-humorado. — Não havia nenhum inglês no trem a não ser um empregadinho de escritório. Ele nunca ouvira falar de Peterfield ou da arma. Eu sei. Eu o provoquei. Peterfield e a arma não queriam dizer nada para ele. — Sorriu. — Ele tinha um complexo bolchevista qualquer.

O sr. Roberts estava sentado em frente ao aquecedor a gás. Sobre os joelhos tinha uma carta de Parker Pyne. Junto com ela chegara um cheque de cinquenta libras "de pessoas que estavam muito satisfeitas com uma certa missão executada".

No braço de sua cadeira repousava um livro da biblioteca. O sr. Roberts abriu-o ao acaso. *Ela estava encolhida junto à porta como uma linda criatura acuada.*

Bem, ele sabia o que era isso. Leu outra frase:

Ele farejou o ar. O odor suave e doentio do clorofórmio chegou às suas narinas.

Ele também sabia o que era isso.

Ele a tomou em seus braços e sentiu a vibração na resposta de seus lábios escarlates.

O sr. Roberts deu um suspiro. Não fora um sonho. Aconteceu mesmo. A viagem de ida foi muito monótona, mas a de volta! Como ele tinha gostado! Mas ele estava satisfeito de voltar para casa. Sentiu vagamente que a existência não poderia ser vivida indefinidamente naquele compasso. Mesmo a grã-duquesa Olga e mesmo aquele último beijo já faziam parte de um sonho.

Mary e as crianças iam voltar para casa amanhã. O sr. Roberts sorriu feliz.

Ela ia dizer: "Passamos umas férias tão agradáveis. Fiquei triste quando pensei em você, sozinho aqui, meu velho." E ele diria: "Foi tudo bem, minha velha. Tive de ir a Genebra para um negócio da firma — um negócio delicado — e olhe o que eles me mandaram." E mostraria o cheque de cinquenta libras.

Pensou na Ordem de Santo Estanislau, décima classe com lauréis. Ele a esconderia, mas se Mary a encontrasse... teria que dar uma explicação tão longa...

Ah, isso mesmo! — ele diria que tinha trazido do estrangeiro. Uma curiosidade.

Abriu novamente o livro e leu com felicidade. Não havia mais aquela expressão ansiosa em seu rosto.

Agora ele também fazia parte daquele grupo privilegiado de pessoas para as quais *As coisas aconteciam...*

O caso da milionária

O nome da sra. Abner Rymer foi anunciado a Parker Pyne. Ele conhecia aquele nome, e franziu as sobrancelhas.

Nesse momento, a sua cliente entrou no escritório. A sra. Rymer era uma mulher alta, de ossos fortes.

Tinha um ar deselegante, que o vestido de veludo e o pesado casaco de pele não conseguiram esconder. Nas mãos grandes, os nós dos dedos apareciam, salientes. O rosto era grande e largo, de cores muito vivas. O cabelo preto tinha um penteado da moda, e havia muitas penas de avestruz em seu chapéu.

Ela afundou na poltrona, com um aceno.

— Bom dia — disse ela. Sua voz tinha um sotaque rude. — Se o senhor prestar mesmo, vai me dizer como gastar o meu dinheiro!

— Muito original! — murmurou Parker Pyne. — Poucas pessoas pedem isso hoje em dia. Então, a senhora acha que é realmente difícil, sra. Rymer?

— Acho — disse ela com rudeza. — Tenho três casacos de pele, uma porção de vestidos de Paris e coisas assim. Tenho um automóvel e uma casa em Park Lane. Tenho um iate, mas não gosto do mar. Tenho uma porção de empregados de alta classe que olham para a gente por cima do nariz. Viajei um bocado e conheço muitos lugares. E não me ocorre rigorosamente mais nada para comprar ou fazer — olhou esperançosa para Parker Pyne.

— Há os hospitais — começou ele.

— O quê? Dar meu dinheiro, o senhor quer dizer? Não, isso eu não faço! Suei para ganhar este dinheiro, eu lhe digo, trabalhei para valer. Se pensa que vou jogar dinheiro fora, como se estivesse empoeirado... bem, o senhor está enganado. Quero gastá-lo; gastá-lo e tirar dele algum proveito. Agora, se o senhor tiver alguma ideia que valha a pena, pode contar com um pagamento muito bom!

— A sua proposta me interessa — disse Pyne. — A senhora não falou em nenhuma casa de campo.

— Esqueci, mas tenho uma. Chateia-me demais.

— Preciso saber mais coisas sobre a sua pessoa. Seu problema não é de fácil solução.

— Conto com todo o prazer. Não me envergonho do passado. Eu trabalhava numa fazenda, quando era garota. Era um trabalho duro. Então, comecei a namorar o Abner, que era operário num moinho próximo. Cortejou-me durante oito anos e depois nos casamos.

— E a senhora foi feliz? — perguntou Pyne.

— Fui. Ele era um homem bom para mim, o Abner. Nós tivemos uma vida difícil, e... ele ficou desempregado duas vezes, e as crianças começaram a chegar. Tivemos quatro, três meninos e uma menina. E nenhum deles chegou a crescer. Garanto que seria diferente se eles tivessem vivido.

Seu rosto abrandou-se, ela pareceu repentinamente mais jovem.

— Ele era fraco dos pulmões, o Abner. Não o chamaram para a guerra. Trabalhou aqui mesmo. Foi nomeado chefe da seção. Era um sujeito inteligente. Ele criou um processo industrial. Foi tratado com consideração, eu diria; deram-lhe um bom dinheiro. Usou o dinheiro numa outra ideia sua. Entrou dinheiro aos montes. Continua entrando.

"Veja bem, no início era divertido. Ter uma casa, um banheiro de primeira e criadas para todo o serviço. Não precisar mais cozinhar, esfregar e lavar. Era só sentar em almofadas de seda na sala de visitas e tocar a campainha para o chá... como qualquer condessa! Muito divertido mesmo! E nós aproveitamos. Então viemos para Londres. Eu ia aos costureiros da moda para encomendar meus vestidos. Fomos a Paris e à Riviera. Foi divertidíssimo!"

— E depois? — disse Parker Pyne.

— Acho que ficamos acostumados com tudo isso — comentou a sra. Rymer. — Depois de certo tempo, já não era assim tão divertido. Olhe, havia dias em que nós nem aproveitávamos as refeições... Nós, que podíamos saborear qualquer prato à nossa escolha! Quanto aos banhos... Bem, afinal de contas, um banho por dia é o suficiente para qualquer pessoa. E a saúde de Abner começou a preocupá-lo. Pagamos muito dinheiro aos médicos, pagamos sim, mas eles não puderam fazer nada. Tentaram isso e aquilo. Mas não adiantou nada. Ele morreu. — Fez uma pausa. — Era moço, só tinha 43 anos.

Pyne acenou com a cabeça, compadecido.

— Isso foi há cinco anos. O dinheiro continua entrando a rodo. Parece-me uma perda de tempo não ser capaz de fazer alguma coisa com ele. Mas eu lhe digo com franqueza, não sou capaz de pensar em nada que eu já não tenha comprado e que já não possua.

— Em outras palavras — disse Pyne —, sua vida é monótona. A senhora não a está aproveitando.

— Estou cheia da vida — admitiu a sra. Rymer melancólica. — Não tenho amigos. A turma nova só quer contribuições, e ri de mim pelas costas. A turma velha não tem mais nada em comum comigo. Basta eu passar de automóvel para fazê-los sentir-se envergonhados. Pode fazer ou sugerir alguma coisa?

— É possível — disse Pyne, lentamente. — Vai ser difícil, mas acho que há uma chance de dar certo. Talvez eu possa lhe devolver o que a senhora perdeu: o interesse pela vida.

— Como? — perguntou a sra. Rymer rapidamente.

— Isso — disse Parker Pyne — é segredo profissional. Nunca discuto meus métodos de antemão. A questão é: a senhora quer correr o risco? Não garanto o sucesso, mas acho que há uma possibilidade razoável de êxito.

— E quanto vai custar?

— Terei de adotar métodos excepcionais, e por isso vai custar caro. Meu preço será de mil libras adiantadas.

— O senhor sabe falar, não é? — disse a sra. Rymer.

— Bem, quero correr o risco. Estou acostumada a pagar pelo que há de mais caro. Só que, quando pago por um serviço, faço questão de obtê-lo.

— A senhora o terá — afirmou Parker Pyne. — Não se preocupe.

— Eu lhe mandarei o cheque hoje à tarde — disse a sra. Rymer, levantando-se. — Não sei por que devo confiar no senhor. Os tolos sempre acabam perdendo dinheiro, dizem. Quase diria que sou uma tola. O senhor tem coragem, para anunciar em todos os jornais que é capaz de fazer as pessoas felizes!

— Esses anúncios me custam dinheiro — disse Pyne. — Se eu não dissesse a verdade, esse dinheiro estaria perdido. Eu *sei* o que causa a infelicidade e por isso tenho uma ideia muito clara de como criar a situação oposta.

A sra. Rymer balançou duvidosa a cabeça e saiu, deixando atrás de si uma nuvem de uma cara mistura de perfumes.

O bonitão Claude Luttrell entrou no escritório.

— Alguma coisa na minha especialidade?

Pyne balançou negativamente a cabeça.

— Dessa vez não é simples — disse. — Não, este é um caso difícil. Temo que precisemos correr alguns riscos. Vamos tentar o extraordinário.

— A sra. Oliver?

O sr. Pyne sorriu à menção do nome da novelista mundialmente famosa.

— A sra. Oliver — disse ele — é realmente a mais convencional de todos nós. Estou pensando num golpe mais audacioso. Por falar nisso, quer me ligar com o dr. Antrobus?

— Antrobus?

— É. Vou precisar dos serviços dele.

Uma semana depois, a sra. Rymer entrou novamente no escritório de Parker Pyne. Ele se pôs de pé para recebê-la.

— A demora foi necessária, eu lhe asseguro — disse ele. — Foi preciso conseguir uma porção de coisas, e tive de requisitar os serviços de um homem extraordinário que veio do outro lado da Europa.

— Ah! — disse ela desconfiada.

O que estava bem marcado na sua cabeça era que ela assinara um cheque de mil libras e que este cheque fora descontado.

Parker Pyne apertou um botão. Uma jovem morena, com um ar oriental, numa roupa branca de enfermeira, respondeu:

— Está tudo pronto, enfermeira De Sara?

— Sim, o dr. Constantine está esperando.

— O que o senhor vai fazer? — perguntou a sra. Rymer um pouco apreensiva.

— Vou apresentá-la a um mago do Oriente, minha cara senhora — respondeu Parker Pyne.

A sra. Rymer seguiu a enfermeira até o andar de cima. Entrou numa sala que não tinha nada a ver com o resto da casa. Tapeçarias orientais cobriam as paredes. Havia divãs com almofadas fofas e belíssimos tapetes pelo chão. Um homem estava debruçado sobre um bule de café. Empertigou-se quando eles entraram.

— Dr. Constantine — disse a enfermeira.

O doutor estava vestido com roupas europeias, mas seu rosto era moreno escuro, e os olhos pretos e oblíquos tinham um poder de fixação muito peculiar.

— Então é esta a minha paciente? — disse ele em voz baixa e vibrante.

— Não sou paciente de ninguém — retrucou a sra. Rymer.

— Seu corpo não está doente — disse o doutor. — Mas a sua alma está deprimida. Nós do Oriente sabemos como curar este mal. Sente-se e tome uma xícara de café.

A sra. Rymer sentou-se e aceitou a minúscula xícara com a fragrante infusão. Enquanto ela bebia, o doutor falava:

— Aqui no Ocidente tratam apenas do corpo. O corpo é apenas o instrumento. Nele se toca uma melodia. Pode ser uma melodia triste, deprimente. Pode ser uma melodia alegre, cheia de encantos. É esta última que eu lhe darei. A senhora tem dinheiro. Deve gastá-lo e tirar proveito dele. A vida valerá novamente a pena ser vivida. É fácil... fácil... tão fácil...

Um sentimento de abandono apossou-se da sra. Rymer. Os vultos do doutor e da enfermeira começaram a se tornar enevoados. Ela se sentiu intensamente feliz e muito sonolenta. O mundo inteiro parecia estar crescendo.

O doutor estava olhando dentro de seus olhos.

— Durma — dizia ele. — Durma. Suas pálpebras estão se fechando. Daqui a pouco a senhora estará dormindo. A senhora vai dormir...

As pálpebras da sra. Rymer se fecharam. Ela flutuava num mundo imenso e maravilhoso.

Quando seus olhos se abriram, pareceu-lhe que tinha passado muito tempo. Ela se lembrava vagamente de algumas coisas — sonhos estranhos, impossíveis; depois, o sentimento de quem acorda; depois, outros sonhos. Lembrava-se de qualquer coisa a respeito de um automóvel e da moça linda e morena com um uniforme de enfermeira debruçada sobre ela.

De qualquer forma, agora ela estava mesmo acordada e em sua própria cama. Seria mesmo a sua cama? Parecia diferente. Faltava aquela deliciosa maciez de sua própria cama. Lembrava-lhe vagamente dias quase que esquecidos. Ela se mexeu, e a cama rangeu. A cama da senhora Rymer em Park Lane não rangia nunca.

Ela olhou em torno. Decididamente não estava em Park Lane. Seria um hospital? Não, viu que não era um hospital. Também não era um hotel. Era um simples quarto com as paredes pintadas num tom indistinto de lilás. Havia um suporte para bacia num canto, com uma cuia d'água e uma jarra; uma cômoda de pinho com gavetas e uma pequena valise de folha de flandres; roupas estranhas penduradas em cabides na parede; a cama coberta por uma manta bastante remendada; e ela própria.

— Onde é que eu *estou*? — perguntou a sra. Rymer.

A porta se abriu, e uma mulherzinha roliça entrou. Tinha as bochechas vermelhas e um ar muito bem-humorado; as mangas arregaçadas e um avental.

— Enfim! — exclamou. — Ela está acordada. Pode entrar, doutor.

A sra. Rymer abriu a boca para dizer uma porção de coisas — mas não disse nada, porque o homem que entrou atrás da mulherzinha roliça não se parecia nem um pouco com o moreno e elegante dr. Constantine. Era um velho encurvado que a observava atrás de uns óculos de lentes muito grossas.

— Ótimo — disse ele aproximando-se da cama e pegando o pulso da sra. Rymer. — Você vai ficar boa logo, minha querida.

— O que foi que aconteceu comigo? — perguntou a sra. Rymer.

— Você teve uma espécie de ataque — disse o médico. — Ficou inconsciente uns dias. Nada de grave.

— Você nos deu um susto, Hannah, se deu! — disse a gordinha. — Você delirou também, e falou coisas muito estranhas.

— Foi sim, sra. Gardner — disse o médico um tanto repreensivo. — Mas não devemos excitar a paciente. Logo, logo, você vai estar andando de um lado para o outro, minha querida.

— Mas não precisa se preocupar com o serviço, Hannah — disse a sra. Gardner. — A sra. Roberts me tem dado uma ajuda, e nós damos conta de tudo. Continue deitada para ficar logo boa, minha cara.

— Por que estão me chamando de Hannah? — perguntou a sra. Rymer.

— Bem, porque o seu nome é esse — disse a sra. Gardner com espanto.

— Não é não. Meu nome é Amélia. Amélia Rymer. Sra. Ab Rymer.

O médico e a sra. Gardner se entreolharam.

— Bom, fique deitada — disse a sra. Gardner.

— Sim, não se preocupe — completou o médico.

Os dois saíram. A sra. Rymer ficou deitada e intrigada. Por que a tinham chamado de Hannah e trocado aquele olhar de incredulidade quando ela lhes disse o seu nome? Onde estaria ela, e o que teria acontecido?

Saiu da cama. Sentiu falta de firmeza nas pernas, mas andou devagar até a pequena janela e olhou para fora —

um quintal de fazenda! Completamente confusa, voltou para a cama. O que estaria ela fazendo numa fazenda em que nunca tinha estado?

A sra. Gardner entrou outra vez no quarto com uma tigela de sopa numa bandeja. A sra. Rymer começou a fazer perguntas:

— O que é que eu estou fazendo nesta casa? — perguntou. — Quem me trouxe para cá?

— Ninguém a trouxe para cá, minha querida. É a sua casa. Pelo menos, é onde você viveu nos últimos cinco anos... E eu não sei se tinha outro lugar para ir antes de vir trabalhar conosco.

— Vivi aqui? Cinco anos?

— Isso mesmo. Ora, Hannah, não vá me dizer que você ainda não está se lembrando de nada!

— Eu nunca vivi aqui! Nunca vi você!

— Sabe, depois que você teve essa doença não se lembra de mais nada.

— Eu nunca vivi aqui.

— Viveu, querida. — De repente a sra. Gardner foi até a cômoda cheia de gavetas e trouxe uma fotografia emoldurada e meio apagada para a sra. Rymer.

Representava um grupo de quatro pessoas: um homem barbado, uma mulher gorda (a sra. Gardner), um homem alto e magro com um sorriso agradavelmente tímido e alguém com um vestido estampado e um avental — ela própria!

Estupefata, a sra. Rymer olhou para a fotografia. A sra. Gardner pôs o prato de sopa a seu lado e saiu do quarto sem fazer barulho.

A sra. Rymer tomou a sopa mecanicamente. Era uma sopa gostosa, forte e quente. Durante todo esse tempo, seu cérebro estava num torvelinho. Quem estava doida? A sra. Gardner ou ela? Uma das duas devia estar! Mas tinha o médico também...

— Sou Amélia Rymer — disse ela com firmeza. — Eu sei que sou Amélia Rymer, e ninguém vai me dizer o contrário!

Terminou a sopa. Colocou a tigela de volta na bandeja. Um jornal dobrado chamou sua atenção, ela o apanhou e olhou a data: Parker Pyne? Talvez 15 ou 16. Então ela estivera doente por três dias!

— O patife daquele doutor! — disse a sra. Rymer com raiva.

Ao mesmo tempo, estava um pouco aliviada. Ouvira falar de casos em que as pessoas esqueciam quem eram às vezes por muitos anos. Teve medo de que alguma coisa lhe tivesse acontecido.

Continuou a folhear o jornal examinando as colunas devagar, quando de repente um parágrafo chamou a sua atenção:

A sra. Abner Rymer, viúva de Abner Rymer, o rei dos botões de osso, foi removida ontem para uma casa de saúde particular para doentes mentais. Nos últimos dois dias, a sra. Rymer insistia em declarar que não era ela mesma, mas uma empregada chamada Hannah Moorhouse.

— Hannah Moorhouse! Então é isso! — disse a sra. Rymer. — Ela sou eu, e eu sou ela! Uma espécie de duplicata, suponho. Bom, vamos já dar um jeito nisso! Se aquele hipócrita nojento do Parker Pyne estiver tramando alguma coisa...

Mas nesse instante o nome Constantine chamou a sua atenção numa matéria impressa na primeira página. Dessa vez era uma manchete:

AFIRMAÇÃO DO DR. CONSTANTINE
Numa conferência de despedida na noite da véspera de sua partida para o Japão, o dr. Claudius Constantine anunciou diversas teorias surpreendentes. Declarou que era possível

provar a existência da alma, transferindo-se a alma de um corpo para outro. Durante as suas experiências no Oriente, ele sustenta que realizou com sucesso uma transferência dupla — a alma do corpo A hipnotizado foi transferida para o corpo B, e a alma do corpo B, para o corpo A. Ao acordarem do sono hipnótico, A declarou que era B, e B pensou que era A. Para que a experiência tivesse êxito, era necessário encontrar duas pessoas de grande semelhança física. É fato inegável que duas pessoas que se parecem muito estão enrapport. Isso é facilmente notado no caso de gêmeos, mas descobriu-se que dois estranhos, mesmo que de posições sociais diferentes com uma marcada semelhança de traços, podem exibir essa mesma harmonia de estrutura.

A sra. Rymer jogou longe o jornal!
— Aquele canalha! Aquele canalha miserável!
Agora ela entendia tudo! Tinha sido um plano traiçoeiro para passarem a mão no dinheiro dela! Esta Hannah Moorhouse era um instrumento de Parker Pyne — possivelmente um instrumento inocente. Ele e aquele demônio do Constantine tinham dado um golpe fantástico!
Mas ela ia desmascará-los! Ia mostrar quem era! Poria a lei atrás deles. Diria a todo mundo...
Abruptamente, a sra. Rymer pôs um freio em sua indignação. Lembrou-se do primeiro parágrafo. "Hannah Moorhouse não tinha sido um instrumento dócil. Ela protestara, declarara sua individualidade. E o que aconteceu?"
— Trancada num asilo de lunáticos, pobre moça — disse a sra. Rymer. Um arrepio lhe percorreu a espinha.
Um asilo de loucos. Eles põem você lá dentro e nunca mais deixam sair. Quanto mais você disser que está bom, menos eles acreditam. Você está lá e lá vai ficar. Não, a sra. Rymer não iria correr esse risco.
A porta se abriu, e a sra. Gardner entrou.
— Ah, tomou a sua sopa, minha querida. Muito bem. Daqui a pouco você vai ficar boa.
— Quando foi que eu adoeci? — perguntou a sra. Rymer.

— Deixe ver... Foi há três dias... na quarta-feira. Acho que foi dia 15. Você teve o ataque por volta das quatro horas.

— Ah! — a exclamação era muito significativa. Foi justamente às quatro horas que a sra. Rymer entrara em contato com o dr. Constantine.

— Você escorregou da cadeira — disse a sra. Gardner. — "Oh!", você disse. "Oh!" e foi só. E depois: "Vou dormir." Foi o que você disse, com a voz sonolenta. "Vou dormir." E dormiu mesmo, e nós pusemos você na cama, e chamaram o médico, e desde então você está aí.

— Acho — arriscou a sra. Rymer — que não há nenhum outro meio de saber quem eu sou... quero dizer, além da minha cara.

— Bem, isso é uma coisa esquisita — disse a sra. Gardner. — O que é melhor do que a cara de uma pessoa, não é? Se você preferir, há a sua marca de nascença.

— Uma marca de nascença? — disse a sra. Rymer se alegrando. Ela nunca teve esse tipo de coisa.

— Uma marquinha vermelha como um morango, debaixo do cotovelo direito — disse a sra. Gardner. — Olhe você mesma, querida.

"Isso vai provar tudo", disse a sra. Rymer consigo mesma. Ela sabia que não tinha nenhuma marca em forma de morango debaixo do cotovelo direito. Arregaçou a manga de sua camisola. A marca do morango estava lá.

A sra. Rymer caiu em prantos.

Quatro dias depois, a sra. Rymer se levantou da cama. Ela tinha pensado em diversos planos de ação e rejeitou todos.

Poderia mostrar o parágrafo do jornal à sra. Gardner e ao médico e explicar. Acreditariam nela? A sra. Rymer tinha certeza de que não.

Se ela fosse à polícia, acreditariam nela? Outra vez achou que não.

Pensou em ir ao escritório de Parker Pyne. Foi a ideia que mais a agradou. Principalmente porque ela queria dizer àquele patife nojento o que pensava dele. Mas havia um obstáculo vital para a execução desse plano. Ela estava no momento em Cornwall (assim lhe disseram) e não tinha dinheiro para ir a Londres. Dois *shillings* e quatro cêntimos numa bolsa usada, era esta a sua situação financeira.

E assim, depois de quatro dias, a sra. Rymer decidiu agir com espírito esportivo. No momento, aceitaria as coisas. Ela era Hannah Moorhouse. Muito bem, ela seria Hannah Moorhouse. Por enquanto, aceitaria o papel e, depois, quando tivesse economizado o dinheiro suficiente, iria a Londres e pegaria o trapaceiro em seu covil.

E, tomada essa decisão, a sra. Rymer aceitou o papel com toda a boa vontade e mesmo com um misto de diversão e zombaria. A história estava mesmo se repetindo! Esta vida parecia muito com a sua vida de juventude. Havia tanto tempo!

O trabalho parecia um pouco duro depois de todos aqueles anos de vida mansa, mas depois da primeira semana ela se habituou ao serviço da fazenda.

A sra. Gardner era uma mulher de gênio expansivo e alegre. O marido, um homem alto e taciturno, era também muito simpático. O magricela desajeitado da fotografia fora embora; ficou outro empregado em seu lugar, um gigante bem-humorado de uns 45 anos, lento no falar e no pensar, mas com um brilho acanhado nos olhos azuis.

Passaram-se as semanas. Por fim, chegou o dia em que a sra. Rymer já tinha o dinheiro suficiente para pagar sua passagem para Londres. Mas não foi. Deixou o dinheiro guardado. Tinha muito tempo, pensou. Ainda não perdera o medo dos hospícios. Aquele trapaceiro, Parker Pyne, era muito esperto. Podia arranjar um médico que ia dizer que ela era louca, e seria trancafiada sem que ninguém soubesse o que tinha acontecido.

— Além disso — disse a sra. Rymer —, uma mudança de ares sempre faz bem.

Levantava-se cedo e ia para o batente. Joe Welsh, o novo empregado, ficou doente naquele inverno, e ela e a sra. Gardner cuidaram dele. O homenzarrão dependia delas de um modo comovente.

Veio a primavera e nasceram os carneirinhos; havia flores silvestres pelas sebes; e uma suavidade traiçoeira pelo ar. Joe Welsh deu uma ajuda a Hannah em seu trabalho. Hannah remendou as roupas de Joe.

Algumas vezes, aos domingos, eles saíam para passear juntos.

Joe era viúvo. Sua mulher tinha morrido havia quatro anos. Desde a sua morte, ele confessou, com franqueza, passou a tomar uns golinhos a mais...

Ultimamente ele já não ia muito à taverna. Comprou algumas roupas novas. O sr. e a sra. Gardner sorriam.

Hannah brincava com Joe. Ela se divertia com os seus modos desajeitados. Joe não ligava. Parecia encabulado, mas feliz.

Depois da primavera, veio o verão. Naquele ano, houve um bom verão. Todos trabalharam muito.

A colheita terminou. As folhas das árvores tornaram-se vermelhas e douradas.

Foi no dia 8 de outubro que Hannah, olhando para cima enquanto cortava um repolho, viu Parker Pyne debruçado sobre a cerca.

— O senhor! — disse Hannah, aliás sra. Abner Rymer. — O senhor...

Ela custou a pôr para fora tudo o que queria, a dizer tudo o que precisava ser dito. Quase perdeu o fôlego.

Parker Pyne sorria mansamente.

— Estou plenamente de acordo com a senhora — disse ele.

— Um impostor e um mentiroso, é isso o que o senhor é! — disse a sra. Rymer, repetindo o que já havia dito.

— O senhor com os seus Constantines e seus hipnotizadores e esta pobre moça Hannah Moorhouse trancafiada... com malucos!

— Não — disse o sr. Pyne —, não me julgue mal. Hannah Moorhouse não está no hospício porque ela nunca existiu.

— É mesmo? — disse a sra. Rymer. — E aquele retrato dela que eu vi com os meus próprios olhos?

— Falsificado. É muito fácil de fazer.

— E a notícia no jornal sobre ela?

— O jornal inteiro era falso, para podermos incluir as duas notícias de uma forma natural que a convenceriam. E deu certo.

— Aquele tratante, o dr. Constantine!

— Um nome suposto... um amigo meu com talento para o teatro.

A sra. Rymer bufou de raiva.

— Ah! E suponho que eu também não fui hipnotizada?

— Para dizer a verdade, não foi mesmo não. A senhora tomou no seu café uma droga parecida com maconha. Depois, outras drogas foram administradas, e a senhora foi trazida para cá, onde recobrou a consciência.

— Então a sra. Gardner sabia de tudo? — perguntou a sra. Rymer.

Parker Pyne fez que sim com a cabeça.

— Subornada pelo senhor, suponho! Ou enganada com uma porção de mentiras!

— A sra. Gardner confia em mim — disse Pyne.

— Já salvei uma vez o seu filho único de uma pena criminal.

Alguma coisa em suas maneiras silenciou a sra. Rymer e mudou a sua conduta.

— E a marca de nascença? — perguntou ela.

Pyne sorriu.

— Já deve estar desaparecendo. Mais uns seis meses e desaparece completamente.

— Então o que significa toda essa bobagem? Fazendo pouco de mim, me prendendo aqui como uma empregada... eu, com todo aquele dinheiro no banco! Mas acho que nem preciso perguntar. O senhor deve estar se servindo dele, não, meu caro amigo? É isto que quer dizer...

— É verdade — disse Parker Pyne — que eu obtive da senhora, enquanto estava sob a influência de drogas, uma procuração, e que, durante a sua... ahn... ausência, assumi o controle dos seus assuntos financeiros. Mas lhe garanto, minha senhora, que, afora aquelas mil libras iniciais, nenhum dinheiro seu veio parar no meu bolso. Para falar a verdade, devido a vários investimentos criteriosos, a sua situação financeira melhorou bastante.

— Sorriu para ela.

— Então, por que... — começou a sra. Rymer.

— Vou lhe fazer uma pergunta, sra. Rymer — disse Parker Pyne. — A senhora é uma mulher honesta. Sei que vai me responder honestamente. Vou lhe perguntar se está feliz.

— Feliz! Boa pergunta! Roube todo o dinheiro de uma mulher e pergunte se ela está feliz! Essa é muito engraçada.

— A senhora ainda está zangada — disse ele. — É muito natural. Mas esqueça os meus crimes por um momento, sra. Rymer. Quando a senhora apareceu no meu escritório, há exatamente um ano, era uma mulher infeliz. Vai me dizer que ainda é infeliz? Se for, peço desculpas, e a senhora está livre para tomar todas as providências que quiser contra mim. E, além disso, lhe devolvo as mil libras que me pagou. Vamos, sra. Rymer, a senhora ainda é uma mulher infeliz?

Ela olhou para Parker Pyne, mas seus olhos se abaixaram quando falou finalmente:

— Não, não sou infeliz. — Ela tinha um tom de surpresa na voz. — Agora o senhor me pegou. Reconheço isso. Desde a morte de Abner que eu não estava bem. Eu... eu vou me casar com um homem que trabalha aqui, Joe Welsh. Nossos proclamas vão correr no domingo que vem, isto é, *iam* correr domingo que vem.

— Mas agora, é claro — disse Pyne —, tudo é diferente. O rosto da sra. Rymer se inflamou. Ela deu um passo à frente.

— O que quer dizer... diferente? O senhor acha que todo o dinheiro do mundo faria de mim uma grande dama? Não quero ser uma grande dama, não, obrigada. Um bando de gente desocupada, é o que elas são. Joe me entende, e eu o entendo. Gostamos um do outro e vamos ser felizes. E o senhor, sr. Abelhudo, dê o fora daqui e não se meta no que não é da sua conta!

Parker Pyne tirou um papel do bolso e entregou a ela.

— A procuração — disse. — Rasgo? Suponho que agora vai assumir o controle da sua própria fortuna.

Estampou-se uma expressão estranha no rosto da sra. Rymer.

Ela empurrou o papel de volta.

— Leve-o de volta. Eu lhe disse coisas desagradáveis... e algumas delas o senhor mereceu. É um sujeito sabidão, mas, apesar de tudo, eu confio no senhor. Ponha setecentas libras aqui no banco... Isso dá para comprarmos uma fazenda em que estamos de olho. O resto do dinheiro... bem, pode deixar para os hospitais.

— A senhora quer dizer que vai doar toda a sua fortuna aos hospitais?

— Foi exatamente o que eu disse. Joe é um amor de criatura, mas é fraco. Se tiver dinheiro, acabará na ruína. Consegui que ele deixasse de beber e vou mantê-lo assim. Graças a Deus, sei o que estou fazendo. Não vou deixar o dinheiro se interpor entre mim e a felicidade.

— A senhora é uma mulher extraordinária — disse Pyne lentamente. — Só uma mulher em mil faria o que está fazendo.

— Então só uma mulher em mil tem juízo — disse a sra. Rymer.

— Tiro o meu chapéu para a senhora — disse Parker Pyne, e havia algo de estranho em sua voz. Ergueu o chapéu solenemente e afastou-se.

— E fique sabendo que não pode contar nunca ao Joe, hein? — a sra. Rymer gritou enquanto ele ia embora.

Ela ficou ali de pé, com o sol do crepúsculo por trás, um enorme repolho verde azulado entre as mãos, a cabeça jogada para trás e os ombros firmes. Uma figura grandiosa de mulher camponesa, desenhada contra o sol que se escondia.

Você tem tudo o que quer?

— *Par ici*, Madame.

Uma mulher alta, com um casaco de *vison*, seguiu o carregador cheio de malas ao longo da plataforma da Gare de Lyon.

Ela usava um chapéu de tricô marrom que lhe cobria um dos olhos e uma orelha. O outro lado revelava um perfil encantador e pequenos cachos dourados que se enrolavam em torno de uma orelha perfeita. Era tipicamente americana e muito atraente, e mais de um homem se voltara, ao vê-la passar pelos vagões do trem parado.

Enormes placas estavam penduradas em ganchos dos lados dos vagões:

PARIS–ATENAS. PARIS–BUCAREST. PARIS–ISTAMBUL.

Neste último, o carregador parou bruscamente. Soltou a correia que sustentava as malas, e estas escorregaram pesadamente para o chão.

— *Voici*, Madame.

O condutor do *wagon-lit* estava de pé ao lado dos degraus. Avançou, desejando um "*Bonsoir*, Madame" com uma vivacidade devida talvez à riqueza e à elegância do casaco de *vison*.

A mulher entregou-lhe o bilhete de papel fino do carro-leito.

— N° 6 — disse —, por aqui.

Ele pulou lepidamente para dentro do trem, e a mulher o seguiu. Enquanto se apressava em acompanhá-lo pelo corredor, ela quase esbarrou num cavalheiro corpulento que saía do compartimento ao lado do seu. Viu de relance um rosto largo e afável de olhos bondosos.

— *Voici*, Madame.

O condutor lhe mostrou a cabine. Abriu a janela e chamou o carregador. Este pegou a bagagem e a colocou nas prateleiras. A mulher sentou-se.

A seu lado, deixou uma pequena frasqueira vermelha e a bolsa. O vagão estava quente, mas não lhe ocorreu a ideia de tirar o casaco. Olhava da janela para o lado de fora com olhos vagos. Pessoas passavam correndo de um lado para o outro da plataforma. Havia vendedores de jornais, de travesseiros, de frutas, de chocolates, de águas minerais. Dirigiam seus pregões a ela, mas os olhos da moça passavam por eles sem vê-los. A Gare de Lyon tornara-se indistinta à sua vista. Em seu rosto havia tristeza e ansiedade.

— Se Madame puder me dar o passaporte...

As palavras não lhe chamaram a atenção. O condutor, de pé à porta, repetiu-as. Elsie Jeffries levantou-se com um sobressalto.

— Como disse?

— Seu passaporte, Madame.

Ela abriu a bolsa, tirou o passaporte e o entregou ao condutor.

— Não precisa se preocupar, Madame, eu cuido de tudo. — Fez uma pausa curta, significativa. — Irei com Madame até Istambul.

Elsie tirou da bolsa uma nota de cinquenta francos e a entregou a ele. Aceitou-a de uma maneira muito comercial e perguntou quando ela queria que seu leito fosse preparado, e se iria jantar.

Resolvido isso, saiu, e, quase em seguida, o homem do carro-restaurante apareceu no corredor, batendo freneticamente uma sineta e berrando:

— *Premier service! Premier service!*

Elsie levantou-se, livrou-se do pesado casaco de pele, deu uma olhadela de relance em seu espelhinho e, pegando a bolsa e a frasqueira das joias, saiu para o corredor. Dera apenas alguns passos, quando o homem do restaurante voltou correndo. Para evitá-lo, Elsie recuou até a porta da cabine ao lado, que agora estava vazia. Enquanto o homem passava, seu olhar vislumbrou por acaso a etiqueta da mala que estava colocada no banco.

Era uma valise reforçada de couro de porco, bastante usada. Na etiqueta estavam as seguintes palavras: "J. Parker Pyne, passageiro para Istambul." A própria valise trazia as iniciais: "P.P."

Uma expressão de curiosidade apareceu no rosto da jovem. Ela hesitou um momento no corredor, e, depois, voltando à sua própria cabine, apanhou um exemplar do *Times* que deixara sobre a mesinha com outros livros e revistas.

Correu os olhos pela primeira página, mas, pelo visto, o que procurava não estava ali. Com uma ligeira ruga na testa, ela se dirigiu para o carro-restaurante.

O servente indicou-lhe uma cadeira numa pequena mesa que já estava ocupada por outra pessoa, o homem no qual ela quase esbarrara no corredor. Na verdade, era o dono da valise de couro de porco.

Elsie olhou para ele, sem querer dar a impressão de estar olhando. Ele parecia muito delicado, muito bondoso e, de um modo impossível de explicar, tremendamente reconfortante. Comportava-se de uma maneira britânicamente reservada, e foi só depois de as frutas chegarem à mesa que ele falou.

— Eles mantêm esses lugares horrivelmente abafados — comentou.

— Eu sei — disse Elsie. — Talvez se nós abríssemos uma janela...

Ele sorriu pesaroso.

— Impossível! Afora nós dois, todo mundo iria protestar.

Ela respondeu com outro sorriso. Nenhum dos dois disse mais nada.

Trouxeram o café e a conta, indecifrável como sempre. Depois de colocar algumas notas sobre ela, Elsie armou-se repentinamente de coragem.

— Desculpe — murmurou ela. — Vi o seu nome na valise... Parker Pyne. O senhor é... o senhor é por acaso...?

Ela hesitou, e ele se apressou em ajudá-la.

— Acho que sim. Isto é — repetiu ele o anúncio que Elsie notara mais de uma vez no *Times* e procurara inutilmente hoje: "Você é feliz? Se não for, consulte o sr. Parker Pyne." — Sim, sou eu mesmo.

— Ah, sim — disse Elsie. — Que coisa extraordinária!

Ele balançou negativamente a cabeça.

— Não é não. Extraordinária do seu ponto de vista, não do meu. — Deu um sorriso encorajador e inclinou-se para a frente. A maior parte dos passageiros já deixara o carro-restaurante. — Então a senhora não é feliz?

— Eu... — começou Elsie e parou.

— Se não, não teria dito "Que coisa extraordinária!" — adiantou ele.

Elsie ficou em silêncio por um minuto. Ela se sentia estranhamente tranquilizada com a simples presença de Parker Pyne.

— Sim — admitiu por fim. — Sinto-me...

Ele fez que sim com a cabeça, compreensivo.

— Veja o senhor — continuou ela —, aconteceu uma coisa muito curiosa... e eu não tenho a mínima ideia de como interpretá-la.

— Que tal se me contasse? — sugeriu Pyne.

Elsie pensou no anúncio. Ela e Edward tinham comentado e rido várias vezes. Nunca pensara que ela... talvez não devesse... Se o sr. Parker Pyne fosse um charlatão... mas ele parecia tão simpático! Elsie tomou uma decisão. Qualquer coisa, contanto que tirasse aquilo da cabeça.

— Vou lhe contar. Vou para Constantinopla[1] para me encontrar com meu marido. Ele tem negócios no Oriente e precisou ir lá este ano. Viajou há duas semanas. Disse que era preciso certo tempo para conseguir acomodações para mim. Fiquei muito excitada só de pensar na viagem. Sabe, eu nunca tinha viajado para o exterior. Faz seis meses que estamos na Inglaterra.

— A senhora e seu marido são americanos?

— Somos.

— Suponho que não estejam casados há muito tempo?

— Há um ano e meio.

— São felizes?

— Ah, somos! Edward é um anjo. — Ela hesitou. — Ele tem muita coisa boa. Só que é um pouquinho... como direi? Austero. Tem uma porção de antepassados puritanos e tudo o mais. Mas ele é um *amor* — acrescentou apressadamente.

Parker Pyne olhou-a pensativo por um ou dois minutos e disse:

— Continue.

— Foi uma semana depois que Edward viajou. Eu estava escrevendo uma carta no escritório dele e reparei que o mata-borrão era novo e limpo, apenas com umas poucas linhas escritas. Tinha acabado de ler uma história de detetive em que a pista principal estava no mata-

---

1 Atual Istambul. (N.E.)

-borrão, e aí, para me divertir, eu o coloquei em frente a um espelho. Era *apenas* para me divertir, sr. Pyne... não estava espionando Edward ou coisa parecida. Quero dizer, ele é tão bonzinho que ninguém nem sonharia com coisas desse tipo.

— Sei, sei, compreendo.

— Estava muito fácil de ler. Primeiro tinha a palavra "esposa", depois "Simplon Express" e, mais abaixo, "um pouco antes de Veneza é o momento mais propício".

— Curioso — disse o sr. Pyne. — Muito curioso mesmo. Era a letra de seu marido?

— Era, sim. Mas eu já quebrei a cabeça e não posso atinar com as circunstâncias em que meu marido escreveria uma carta com essas palavras.

— Um pouco antes de Veneza é o momento mais propício — repetiu Pyne. — Muito curioso mesmo.

A sra. Jeffries inclinou-se para ele com uma esperança que o lisonjeou.

— O que devo fazer? — perguntou ela com simplicidade.

— Temo — disse Parker Pyne — que precisemos esperar até um pouco antes de Veneza.

Tirou um folheto do bolso.

— Eis o horário do nosso trem. Ele chegará a Veneza às 14h27 de amanhã.

Eles se entreolharam.

— Pode deixar comigo — disse Parker Pyne.

Eram 14h05. O Simplon Express estava atrasado onze minutos. Passara por Mestre havia mais ou menos quinze minutos.

Parker Pyne estava sentado ao lado da sra. Jeffries em sua cabine. Até ali a viagem tinha sido agradável e rotineira. Mas agora, se fosse acontecer alguma coisa, tinha chegado o momento. Parker Pyne e Elsie estavam sentados frente a frente. O coração dela batia apressado, e seus olhos procuravam os dele numa espécie de angustioso apelo de conforto.

— Fique completamente calma — disse ele. — Você está a salvo. Estou aqui.

De repente, um grito no corredor.

— Olhem! Olhem! O trem está pegando fogo!

Com um salto Elsie e Parker Pyne estavam no corredor. Uma mulher agitada, de aparência eslava, apontava dramaticamente com o dedo. De um dos compartimentos dianteiros a fumaça saía aos borbotões. Parker Pyne e Elsie correram pelo corredor. Outros se juntaram a eles. O compartimento em questão estava cheio de fumaça. Os que chegaram na frente recuaram tossindo. O condutor apareceu.

— A cabine está vazia! — gritou ele. — Não se alarmem, *messieurs et dames*. *Le feu* será controlado.

Surgiu uma dúzia de perguntas e respostas agitadas. O trem corria pela ponte que liga Veneza ao continente.

De repente, Parker Pyne virou-se, forçou sua passagem através do pequeno aglomerado de pessoas e correu pelo corredor até a cabine de Elsie. A senhora de rosto eslavo estava sentada lá, procurando tomar fôlego pela janela aberta.

— Desculpe, Madame — disse Parker Pyne —, mas esta não é a sua cabine.

— Eu sei, eu sei — disse a senhora eslava. — *Pardon*. Foi o choque, a emoção... meu coração.

Ela se deixou recostar no assento e mostrou a janela aberta.

Tomou respiração em largos haustos.

Parker Pyne ficou de pé na porta. Sua voz era paternal e confortadora.

— Não precisa ter medo — disse ele. — Nem por um minuto achei que o incêndio fosse sério.

— Não? Ah, que alívio! Já que estou me sentindo melhor — começou a levantar-se —, vou voltar para a minha cabine.

— Ainda não... — A mão de Parker Pyne a empurrou gentilmente de volta. — Peço-lhe que espere um momento, Madame.

— Monsieur, isto é um ultraje!

— Madame, a senhora vai ficar.

A voz dele era fria. A mulher sentou-se quieta, olhando para ele. Elsie juntou-se a eles.

— Parece que foi uma bomba de fumaça — disse ela quase sem fôlego. — Alguma brincadeira ridícula de alguém. O condutor está furioso. Está perguntando a todo mundo... — interrompeu-se ao ver a segunda ocupante da cabine.

— Sra. Jeffries — disse Parker Pyne —, o que é que a senhora leva em sua frasqueira vermelha?

— Minhas joias.

— Talvez a senhora possa me fazer o favor de ver se está tudo em ordem.

Houve uma torrente de palavras da parte da senhora eslava. Ela começou a imprecar em francês, língua mais adequada para fazer justiça a seus sentimentos.

Nesse meio tempo, Elsie apanhara a caixa das joias.

— Oh! — gritou ela. — Está aberta!

— ...*et je porterai plainte à la Compagnie des Wagons-Lits* — terminou a senhora eslava.

— Elas desapareceram! — gritou Elsie. — Tudo! Minha pulseira de diamantes. E o colar que papai me deu. E os anéis de rubi e de esmeraldas. E uns broches encantadores de brilhantes. Graças a Deus, eu estava usando as pérolas. Oh! sr. Pyne, o que podemos fazer?

— Se for chamar o condutor — disse Parker Pyne —, eu me encarrego de não deixar esta senhora sair até ele chegar.

— *Scélerat! Monstre!* — esganiçava-se a senhora eslava. Ela continuou com insultos maiores. O trem chegou a Veneza.

Os acontecimentos da meia hora seguinte podem ser resumidos. Parker Pyne tratou com diferentes funcionários em diferentes línguas... e foi derrotado. A senhora suspeita consentiu em ser revistada... e saiu de lá sem nenhuma mancha em seu caráter. As joias não estavam com ela.

Entre Veneza e Trieste, Parker Pyne e Elsie discutiram o caso.

— Quando foi que você viu as joias pela última vez?

— Hoje de manhã. Guardei uns brincos de safira que estava usando ontem e apanhei um simples par de pérolas.

— E todas as joias estavam lá?

— Bom, não vasculhei a caixa, naturalmente. Mas me pareciam em ordem, como sempre. Talvez faltasse um anel, ou qualquer coisa assim, mas nada além disso.

Parker Pyne fez que sim com a cabeça.

— Agora, quando foi que o condutor arrumou sua cabine hoje de manhã?

— Eu estava com a caixa nas mãos... no carro-restaurante. Sempre a levo comigo. Nunca a deixei na cabine, a não ser quando saímos correndo agora.

— Desse modo — disse Parker Pyne —, esta inocente ofendida, Madame Subayska, ou como quer que ela se chame, *deve* ter sido a ladra. Mas que diabo fez ela com as joias? Ela só ficou lá um minuto ou dois... o tempo justo de abrir a caixa com uma duplicata da chave e tirar as coisas... sim, mas e daí?

— Poderia ter dado para outra pessoa?

— Dificilmente. Eu já estava voltando pelo corredor. Se alguém tivesse saído de dentro do compartimento, eu teria visto.

— Talvez ela tenha jogado pela janela para alguém.

— Excelente sugestão; apenas, como aconteceu, estávamos passando exatamente em cima do mar naquele momento. Estávamos sobre a ponte.

— Então ela deve ter escondido as joias em algum lugar aqui da cabine.

— Vamos procurá-las!

Com uma energia de americana, Elsie começou a procurar por todos os cantos. Parker Pyne participou da busca de maneira um tanto ou quanto ausente. Ele se desculpou por não tentar continuar.

— Estou pensando em passar um telegrama muito importante em Trieste — explicou ele.

Elsie recebeu a explicação com frieza. Parker Pyne caíra profundamente em seu conceito.

— Sinto muito tê-la aborrecido, sra. Jeffries — disse ele humildemente.

— Bem, o senhor não foi muito feliz — respondeu ela.

— Mas, minha cara senhora, é bom lembrar que eu não sou um detetive. Roubo e crime não são absolutamente a minha especialidade. Minha área é o coração humano.

— Bem, eu estava um pouco infeliz quando entrei nesse trem — disse Elsie —, mas não era nada, em comparação com agora! É de chorar. Minha pulseira linda, linda... e o anel que Edward me deu no dia do noivado.

— Mas a senhora certamente está com as joias seguradas contra roubo? — perguntou Parker Pyne.

— Será que estou? Não sei. Acho que sim. Mas é o valor sentimental, sr. Pyne.

O trem diminuiu a velocidade. O sr. Parker Pyne espiou pela janela.

— Trieste — disse ele. — Preciso passar o meu telegrama.

— Edward! — O rosto de Elsie se iluminou quando ela viu o marido correndo para encontrá-la na plataforma da estação, em Istambul. Nesse instante, nem mesmo a perda das joias preocupou a sua mente. Ela esqueceu as palavras estranhas que descobrira no mata-borrão. Esqueceu tudo, a não ser o fato de que havia quinze dias não via o marido, e que, apesar de sóbrio e austero, ele era mesmo uma pessoa muito atraente.

Estavam quase deixando a estação quando Elsie sentiu um tapinha amistoso no ombro, virou-se e viu Parker Pyne. Seu rosto bonachão estava irradiando bondade.

— Sra. Jeffries — disse ele —, a senhora pode se encontrar comigo no Hotel Tokatlian dentro de meia hora? Acho que vou ter boas notícias para senhora.

Elsie olhou insegura para Edward. Então ela fez a apresentação:

— Este é meu marido... ahn... sr. Parker Pyne.

— Acho que a sua senhora lhe telegrafou dizendo que as joias dela foram roubadas — disse Parker Pyne. — Estou fazendo o que posso para reavê-las. Acho que vou ter boas notícias dentro de meia hora.

Elsie olhou interrogativamente para Edward, que respondeu depressa:

— É melhor você ir, querida. O Tokatlian, o senhor disse, sr. Pyne? Muito bem, vou fazer tudo para ela chegar a tempo.

Exatamente meia hora depois, Elsie entrava na sala de estar particular de Parker Pyne. Ele se levantou para recebê-la.

— A senhora ficou muito desapontada comigo, sra. Jeffries — disse ele. — Não, não tente negar. Bem, eu nunca pretendi ser um mágico, mas faço o que posso. Dê uma olhada aqui dentro.

Ele empurrou sobre a mesa uma pequena e resistente caixa de papelão. Elsie abriu-a. Anéis, broches, pulseiras, colar — tudo lá.

— Sr. Pyne, que coisa maravilhosa! Que maravilha!

Parker Pyne sorriu modestamente.

— Fico satisfeito de não ter falhado, minha cara jovem.

— Sr. Pyne, o senhor me faz sentir tão mesquinha! Desde Trieste que eu tenho sido tão desagradável com o senhor. E agora... isto! Mas como foi que as conseguiu? Quando? Onde?

Parker Pyne balançou a cabeça pensativamente.

— É uma longa história — disse ele. — Um dia a senhora vai ouvi-la. Na verdade, muito breve a senhora vai ouvi-la.

— Por que não posso saber agora?

— Tenho certas razões — disse Parker Pyne.

E Elsie teve de ir embora com sua curiosidade insatisfeita.

Quando ela saiu, Parker Pyne pegou seu chapéu e sua bengala e desceu para as ruas de Pera. Caminhou sorrindo consigo mesmo, e chegou finalmente a um pequeno café, deserto naquele momento, de frente para a baía do Chifre de Ouro. Do outro lado, as mesquitas de Istambul alçavam seus esguios minaretes para o céu do crepúsculo. Era uma beleza. Pyne sentou-se e pediu dois cafés, que vieram fortes e adocicados. Mal começou a tomar o seu, quando chegou um homem e se sentou na cadeira do lado oposto. Era Edward Jeffries.

— Já pedi café para você — disse Parker Pyne, mostrando-lhe a pequena xícara.

Edward empurrou o café para um lado. Debruçou-se sobre a mesa.

— Como foi que descobriu? — perguntou.

Parker Pyne bebeu o seu café sonhadoramente.

— Sua mulher já lhe contou sobre a descoberta do mata-borrão? Não? Oh, mas ela vai lhe contar; ela deve ter se esquecido no momento.

E contou a história da descoberta de Elsie.

— Muito bem; isso se associa perfeitamente com o incidente que aconteceu justamente um pouco antes de Veneza. Por uma razão ou por outra, você estava planejando o roubo das joias de sua mulher. Mas por que a frase "um pouco antes de Veneza é o momento mais propício"? Não parecia ter sentido. Por que você não deixou para o seu... agente... a escolha do melhor lugar e do momento?

"E então, de repente, percebi o sentido. *As joias de sua mulher tinham sido roubadas antes de você deixar Londres e tinham sido substituídas por réplicas falsas.* Mas essa solução não o satisfizera. Você é um homem consciencioso, cheio de brios. Tinha o pavor de que algum empregado ou qualquer outra pessoa inocente fosse acusada. Era preciso que ocorresse um roubo... num determinado local e de uma maneira tal que não levantasse suspeitas de ninguém de seu conhecimento ou das pessoas de sua casa.

"Sua cúmplice foi munida com uma chave da caixa de joias e uma bomba de fumaça. No momento exato, ela daria o alarme, correria para a cabine de sua mulher, abriria a caixa de joias e jogaria as falsas duplicatas no mar. Se suspeitassem dela e a revistassem, nada poderia ser provado, uma vez que as joias não estavam em seu poder.

"E, assim, o significado do local escolhido torna-se claro. Se as joias fossem meramente jogadas ao lado dos trilhos, poderiam ser encontradas. Daí a importância do único momento em que o trem passava sobre o mar.

"Nesse meio-tempo, você fez os seus contatos para a venda das joias aqui. Tinha, simplesmente, de entregar as pedras quando o roubo já tivesse sido publicamente conhecido. Meu telegrama, entretanto, o alcançou a tempo. Você obedeceu às minhas instruções e depositou a caixa no Tokatlian para esperar a minha chegada, sabendo que dessa forma eu cumpriria o meu trato de não entregar o caso nas mãos da polícia. Você obedeceu também às instruções de se encontrar aqui comigo."

Edward Jeffries olhou suplicante para Parker Pyne. Ele era um homem atraente, louro e alto, com um queixo bem-feito e olhos muito redondos.

— Como fazer com que me entenda? — disse sem esperanças. — Para o senhor eu devo parecer um ladrão vulgar.

— Absolutamente — disse Parker Pyne. — Pelo contrário, eu diria que você é dolorosamente honesto. Estou acostumado a classificar as pessoas. Você, meu caro, cai na categoria das vítimas. Agora, conte-me toda a sua história.

— Posso resumir tudo numa só palavra... chantagem.

— Sim?
— O senhor viu minha mulher; deve ter percebido que tipo de criatura pura e inocente ela é, sem saber ou imaginar o que é a maldade.
— Sim, sim.
— Ela tem ideais maravilhosos e puros. Se viesse a saber de qualquer coisa que eu já fiz, ela me deixaria.
— Imagino. Mas não é essa a questão. O que foi que você *fez*, meu jovem amigo? Presumo que seja algum caso com mulheres.

Edward Jeffries fez que sim com a cabeça.
— Depois de seu casamento... ou antes?
— Antes... antes!
— Bem, bem, o que aconteceu?
— Nada, absolutamente nada. Essa é a parte mais cruel da história. Foi num hotel nas Índias Ocidentais. Havia uma mulher muito atraente... uma tal sra. Rossiter... hospedada lá. O marido era um homem violento; tinha os mais selvagens acessos de raiva. Uma noite ele a ameaçou com o revólver. Ela escapou e correu para o meu quarto. Estava quase louca de terror. Ela... ela me pediu para deixá-la ficar ali até de manhã. Eu... o que é que eu podia fazer?

Parker Pyne olhou para o rapaz e este o encarou de volta com uma retidão consciente de caráter. Parker Pyne suspirou.
— Em outras palavras, para falarmos claramente, o senhor bancou o trouxa, sr. Jeffries.
— Realmente...
— Sim, sim. Um golpe muito antigo. Mas às vezes dá certo com rapazes do gênero d. Quixote. Suponho que, quando o seu casamento foi anunciado, eles apertaram o cerco?
— Sim, recebi uma carta. Se eu não lhes enviasse uma certa soma em dinheiro, meu futuro sogro ficaria sabendo de tudo. A maneira pela qual eu... roubara o amor dessa jovem por seu marido; como ela fora vista entrando

no meu quarto. O marido daria entrada em um pedido de divórcio. Realmente, sr. Pyne, me pareceu muito torpe.

— Enxugou a testa de uma maneira atormentada.

— Sei, sei. E então você pagou. E, de tempos em tempos, eles o apertam outra vez.

— É. Dessa vez foi a última gota. Eu já não tinha mais como arranjar dinheiro. Pensei nesse plano — apanhou a xícara de café frio, olhou-a distraído e o bebeu todo. — O que vou fazer agora? — perguntou, pateticamente. — O que vou fazer, sr. Pyne?

— Deixe-me orientá-lo — disse Parker Pyne com firmeza. — Eu dou um jeito nos seus carrascos. Quanto à sua mulher, você vai direto a ela e vai lhe contar toda a verdade... ou pelo menos parte dela. O único ponto que vai desviar da verdade será o que diz respeito aos fatos das Índias Ocidentais. Você precisa esconder o fato de que você... bem, que você bancou o trouxa, como eu já falei.

— Mas...

— Meu caro sr. Jeffries, o senhor não compreende as mulheres. Se uma mulher tiver de escolher entre um trouxa e um Don Juan, escolherá o Don Juan, sempre. Sua mulher, sr. Jeffries, é uma moça encantadora, inocente e orgulhosa, e a única maneira de ela se sentir satisfeita da vida é acreditar que regenerou um farrista.

Edward Jeffries estava olhando para ele de boca aberta.

— Foi isso mesmo que eu quis dizer — continuou Parker Pyne. — No presente momento, sua mulher está apaixonada por você, mas eu já percebi sinais de que não vai ficar por muito tempo, se continuar a lhe apresentar uma figura de tanta bondade e retidão... quase um sinônimo de monotonia.

Edward estremeceu.

— Vá vê-la, menino — disse o sr. Parker Pyne gentilmente. — Confesse tudo, isto é, tudo o que você puder imaginar. Então explique-lhe que, a partir do instante em que a encontrou, você abriu mão de toda a sua vida. Chegou até a roubar para que nada disso chegasse aos ouvidos dela. Ela vai perdoá-lo entusiasticamente!

— Mas quando não há nada para perdoar...

— O que é a verdade? — disse Parker Pyne. — Em minha experiência, é geralmente ela que entorna o caldo! É um axioma fundamental da vida de casado: você *precisa mentir* para uma mulher. Elas gostam disso! Vá e seja perdoado, menino. E viva feliz para todo o sempre. Sou capaz de adivinhar que sua mulher vai sempre ficar de olho em você toda vez que uma mulher bonita se aproximar... alguns homens se aborreceriam, mas eu garanto que você não vai se importar.

— Não pretendo olhar para nenhuma outra mulher além de Elsie — disse o sr. Jeffries com simplicidade.

— Esplêndido, meu rapaz — disse Parker Pyne. — Mas, se eu fosse você, nunca deixaria que ela soubesse disso. Mulher nenhuma gosta de se sentir muito segura de si.

Edward Jeffries se levantou.

— O senhor acha realmente...?

— *Eu sei* — disse Parker Pyne, com veemência.

O Portão de Bagdá

Quatro grandes portões tem a cidade de Damasco...

Parker Pyne repetiu os versos de Flecker em voz baixa:

O Portal do Destino, o Portão do Deserto, a Caverna das Desgraças, a Fortaleza do Terror,
Eu sou o Portal de Bagdá, a Porta de Entrada de Diarbekir.

Estava em Damasco, e, espichando a cabeça para fora do hotel Oriental, viu um dos enormes ônibus Pullmans, de seis rodas, que ia levá-lo até Bagdá, com mais 11 pessoas, no dia seguinte, através do deserto.

Não passes por aqui, ó Caravana, ou pelo menos não passes por aqui cantando.
Escutaram
Este silêncio onde os pássaros morreram, mas onde, ainda assim, algo chilreia como um pássaro?
Passaste por aqui, ó Caravana, Caravana da Perdição. Caravana da Morte!

"Que contraste, com os dias de hoje. Antigamente o Portão de Bagdá era o Portal da Morte. Seiscentos e cinquenta quilômetros de deserto para atravessar em caravanas. Longos e cansativos meses de viagem. Agora, esses monstros ubíquos alimentados a gasolina faziam a viagem em 36 horas."

— O que estava dizendo, sr. Parker Pyne?

Era a voz muito viva da srta. Netta Pryce, a mais jovem e encantadora de todo o grupo de turistas. Apesar de tolhida por uma tia intolerante que tinha uma sombra de barba e uma sede de conhecimentos bíblicos, Netta conseguia divertir-se de várias maneiras frívolas, que possivelmente a tia não aprovaria.

Parker Pyne repetiu os versos de Flecker para ela.

— Que coisa emocionante! — disse Netta.

Três homens com uniforme da Força Aérea estavam perto deles, e um, admirador de Netta, aproximou-se.

— Essa viagem ainda é emocionante — disse ele. — Mesmo hoje em dia, os bandidos às vezes atacam. Também se pode ficar perdido, de vez em quando acontece. E somos nós que vamos procurar. Um camarada ficou cinco dias perdido no deserto. Por sorte tinha bastante água. E também há os solavancos. Cada um! Uma vez um sujeito morreu. É a pura verdade! Ele estava dormindo, bateu com a cabeça no teto do carro e morreu.

— Num ônibus desse tipo, sr. O'Rourke? — perguntou a tia de Netta.

— Não... não foi num desses — admitiu o rapaz.
— Precisamos visitar as atrações locais — exclamou Netta. A tia pegou um guia de turistas.

Netta ficou impaciente.

— Ela quer ir a um lugar onde são Paulo desceu de uma janela — murmurou ela. — E eu que queria tanto ver os bazares!

O'Rourke respondeu rapidamente:

— Venha comigo. Começaremos por uma rua chamada Straight...

Os dois se afastaram.

Parker Pyne virou-se para um homem tranquilo que estava ao lado, chamado Hensley, e que trabalhava no departamento de serviços públicos de Bagdá.

— Damasco é um pouco decepcionante para quem a vê pela primeira vez — disse ele se desculpando. — Civilizada demais. Bondes, casas modernas e lojas.

Hensley fez que sim com a cabeça. Era um homem de poucas palavras.

— Não tem... aquele encanto misterioso... que a gente pensa que vai encontrar — acrescentou.

Apareceu outro homem, um rapaz louro, com uma velha gravata de Eton.[2] Tinha uma expressão amável, mas ligeiramente estúpida e que no momento parecia preocupada. Ele e Hensley trabalhavam no mesmo departamento.

— Olá, Smethurst — disse o amigo. — Perdeu alguma coisa?

O capitão Smethurst balançou a cabeça, dizendo que não. Era um jovem de raciocínio um tanto ou quanto lento.

— Estava só dando uma olhada por aí — respondeu vagamente. Finalmente pareceu acordar. — Acho que vou fazer uma farra à noite. Que tal?

---

[2] Escola fundada em 1440 e frequentada por membros da família real inglesa. (N.E.)

Os dois amigos foram embora juntos. Parker Pyne comprou um jornal local, impresso em francês. Não o achou muito interessante. O noticiário local não lhe dizia nada, e parecia que nada de importante estava acontecendo em qualquer outro lugar do mundo. Achou diversas notícias procedentes de Londres. A primeira se referia a assuntos financeiros. A segunda falava do suposto destino de um tal Samuel Long, um financista falido. Seus desfalques subiam agora à soma de três milhões, e corriam boatos de que ele já estava na América do Sul.

— Nada mau para um homem de pouco mais de trinta anos — disse Pyne.

— Como?

Parker virou e deu de cara com um italiano que havia viajado no mesmo barco que ele, de Brindisi a Beirute.

Parker Pyne explicou a sua observação. O italiano, Signor Poli, balançou a cabeça diversas vezes em sinal de aprovação.

— É um grande criminoso, esse homem. Até na Itália nós sofremos. Ele inspirava confiança em todo o mundo. Dizem que é um homem de muito boa família.

— Bem, ele esteve em Eton e em Oxford — disse Parker Pyne com cautela.

— O senhor acha que ele vai ser apanhado?

— Depende do quanto ele está à frente. Ainda pode estar na Inglaterra. Pode estar... em qualquer lugar.

— Aqui conosco? — O italiano riu.

— Possivelmente. — O sr. Parker Pyne permaneceu sério. — Como é que o senhor pode afirmar que eu não sou ele?

O Signor Poli lançou-lhe um olhar espantado. E seu rosto cor de oliva se abriu num sorriso de compreensão.

— Ora, essa é muito boa! Muito boa mesmo! Mas o senhor... — Seu olhar se desviou do rosto para o estômago de Parker Pyne. Este interpretou o olhar corretamente.

— Não se deve julgar ninguém pelas aparências — disse ele. — Um pouquinho de... como direi?... de barriga... se arranja com facilidade e faz um efeito muito bom para envelhecer alguém. — Acrescentou sonhadoramente: — Existem as tinturas de cabelo, é claro; pode-se também mudar a cor da pele e até trocar de nacionalidade.

Poli saiu meio em dúvida. Ele nunca sabia até onde ia a seriedade dos ingleses.

Parker Pyne se divertiu naquela noite indo a um cinema. Depois foi ao Palácio Noturno das Diversões. Não lhe pareceu um palácio, nem muito alegre. Várias senhoras dançavam com evidente falta de jeito. Os aplausos eram fracos.

De repente, Parker Pyne viu Smethurst. O rapaz estava sentado sozinho em uma das mesas. Tinha o rosto vermelho, e Parker Pyne imaginou que ele já tinha bebido mais do que devia. Atravessou o salão e foi para perto dele.

— É abominável como estas moças tratam a gente — disse o capitão Smethurst. — Paguei duas bebidas para ela... três... uma porção de bebidas. E aí ela foi embora rindo com outro sujeito. Uma desgraça!

Parker Pyne ficou com pena dele. Sugeriu um café.

— Já mandei pedir *araq* — disse Smethurst. — É uma maravilha. O senhor vai provar.

Parker Pyne conhecia algumas das propriedades do *araq*. Procurou agir com o maior tato. Smethurst, entretanto, balançou a cabeça.

— Estou numa complicação dos diabos — disse. — Preciso me animar um pouco. Não sei o que o senhor faria em meu lugar. Não gosto de deixar um amigo em apuros, sabe como é? Quero dizer... mas... o que é que a gente pode fazer?

Ele se pôs a estudar Parker Pyne como se o visse pela primeira vez.

— Quem é o senhor? — perguntou com o laconismo resultante da sua bebedeira. — O que é que o senhor faz?

— Meu negócio são as confidências dos outros — disse Parker Pyne gentilmente.

Smethurst olhou para ele com grande interesse.

— O quê?... O senhor também?

Parker Pyne tirou um recorte de jornal da carteira. Colocou-o em cima da mesa, em frente a Smethurst: *Você é feliz? Se não for, consulte o sr. Parker Pyne*. Smethurst conseguiu focalizar os olhos depois de algum esforço.

— Quer dizer que... as pessoas chegam e lhe contam as coisas?

— Elas confiam em mim... sim.

— Um monte de mulheres imbecis, suponho.

— Uma porção de mulheres — admitiu Parker Pyne.

— Mas homens também. Que tal você, meu jovem amigo? Não estava agora mesmo querendo um conselho?

— Cale essa boca — disse o capitão Smethurst. — Não é da conta de ninguém... só da minha. Onde está esse maldito *araq*?

Parker Pyne balançou tristemente a cabeça.

Abandonou o capitão Smethurst considerando um mau negócio.

A partida para Bagdá foi às sete horas da manhã. Era um grupo de doze pessoas. Parker Pyne e o Signor Poli, a velha srta. Pryce e sua sobrinha, os três oficiais da Aeronáutica, Smethurst e Hensley e uma senhora armênia e seu filho, chamado Pentemian.

A viagem começou sem nenhum acontecimento especial. As árvores frutíferas de Damasco foram logo deixadas para trás. O céu estava nublado, e o jovem motorista olhou-o duvidoso uma ou duas vezes. Trocou algumas impressões com Hensley.

— Tem chovido muito lá pelos lados de Rutba. Tomara que a gente não atole.

Fizeram uma parada ao meio-dia, e as caixas quadradas de papelão com o almoço foram distribuídas. Os dois motoristas prepararam um chá que foi servido em copos de papel. Recomeçaram a viagem através da interminável planície.

Parker Pyne pensava nas lentíssimas caravanas e nas semanas de viagem.

Exatamente ao pôr do sol, chegaram à fortaleza deserta de Rutba. Os enormes portões estavam destrancados, e o ônibus entrou no pátio interno do forte.

— Que emocionante! — disse Netta.

Depois de um banho, ela estava ansiosa para dar um passeio. O tenente O'Rourke e Parker Pyne se ofereceram como acompanhantes. Quando iam sair, o agente de viagem se aproximou e pediu que não se afastassem muito porque poderiam ter dificuldades para achar o caminho de volta quando escurecesse.

— Nós só vamos dar uma voltinha — prometeu O'Rourke. Na verdade, andar a pé por ali não era muito interessante, por causa da monotonia da paisagem.

De repente, Parker Pyne se abaixou e apanhou alguma coisa no chão.

— O que foi? — perguntou Netta com curiosidade. Ele mostrou.

— Uma pedra pré-histórica, srta. Pryce... parece uma furadeira.

— Será que eles... se matavam com isso?

— Não... devia ter um uso mais pacífico. Mas acho que se quisessem eles podiam matar com isso. É a *vontade* de matar que conta... o instrumento não faz diferença. Sempre se acha alguma coisa quando se quer.

Já estava escurecendo, e eles voltaram para o forte.

Depois de um jantar de muitas iguarias, escolhidas entre a grande variedade de latarias, sentaram-se para fumar. À meia-noite, o carro devia seguir viagem.

O motorista parecia inquieto.

— Há umas passagens muito ruins perto daqui — disse ele. — Talvez a gente atole.

Subiram todos no ônibus e se ajeitaram em seus lugares. A srta. Pryce estava aborrecida por não ter conseguido alcançar uma de suas valises.

— Gostaria muito de pegar meus chinelos — disse ela.

— É mais provável que precise de suas botas de borracha — disse Smethurst. — Se vai acontecer o que eu imagino, nós vamos atolar num mar de lama.

— Não tenho nem um par de meias para trocar — disse Netta.

— Não tem importância. Você não vai sair de seu lugar. Só o pessoal do sexo forte é que vai ter de sair para empurrar.

— Sempre trago um par de meias sobressalentes — disse Hensley, batendo no bolso do seu sobretudo. — A gente nunca sabe...

As luzes se apagaram. O enorme ônibus desapareceu no meio da noite.

A viagem não era tão ruim assim. Não sacolejavam tanto como num carro pequeno, mas, mesmo assim, de vez em quando sobrevinha um solavanco feio.

Parker Pyne estava sentado em um dos lugares da frente. Do outro lado do corredor estava a senhora armênia toda enrolada em suas mantas e xales. O filho estava atrás dela. Atrás de Pyne estavam as duas senhoritas Pryce. Poli, Smethurst, Hensley e os três oficiais da RAF estavam lá atrás.

O ônibus corria através da noite escura. Parker Pyne achou muito difícil dormir. Sua posição lhe dava cãibras. Os pés da senhora armênia estavam esticados, e ela os enfiara em seu espaço. Ela, pelo menos, estava à vontade.

Todos os outros pareciam dormir. Parker Pyne começava a sentir uma sonolência quando um baque violento o atirou contra o teto do carro. Ele ouviu um protesto meio adormecido vindo da traseira:

— Devagar! Quer quebrar nossos pescoços?

Então a sonolência voltou. Alguns minutos depois, mesmo com o desconforto do pescoço que caía para o lado, Parker Pyne dormiu...

Acordou de repente. O carro parara. Alguns dos homens estavam saindo. Hensley falou rapidamente:

— Atolamos.

Ansioso para ver o que estava se passando, Parker Pyne desceu desajeitado para o lamaçal. Já não estava mais chovendo. Havia lua e, graças à sua luz, os motoristas podiam ser vistos trabalhando freneticamente com macacos e pedras, esforçando-se para levantar as rodas. A maioria dos homens estava ajudando. Das janelas do carro, as três mulheres olhavam para fora, a srta. Pryce e Netta com interesse, e a senhora armênia com um tédio mal disfarçado.

A uma ordem do motorista, todos os passageiros homens empurraram obedientemente.

— Onde é que está aquele sujeito armênio? — perguntou O'Rourke. — Todo agasalhado e acomodado como um gato? Ele tem que vir ajudar também.

— O capitão Smethurst também — observou Poli. — Ele não está aqui.

— Aquele sem-vergonha ainda está dormindo. Olhem só para ele.

Na verdade, Smethurst ainda estava sentado em sua poltrona, a cabeça pendida para a frente e o corpo inteiro encurvado.

— Vou acordá-lo — disse O'Rourke.

Entrou pela porta. Voltou um minuto depois. Sua voz mudara.

— Imaginem! Acho que ele está doente... ou coisa parecida. Onde está o médico?

O comandante Loftus, médico da Força Aérea, era um homem de ar tranquilo, com os cabelos um pouco grisalhos. Destacou-se do grupo ao lado da roda.

— O que é que há com ele? — perguntou.
— Eu... não sei.

O médico entrou no carro. O'Rourke e Parker Pyne o seguiram. Ele se debruçou sobre a figura encurvada. Um único toque e uma rápida olhada foram suficientes.

— Está morto — disse calmamente.

Morto? Mas como? — as perguntas surgiram.

— Ah! que coisa horrível! — gritou Netta.

Loftus olhou em torno, irritado.

— Deve ter batido com a cabeça no teto — disse. — Houve um solavanco muito forte.

— Tem certeza de que foi isso que o matou? Não há mais nada?

— Não posso dizer antes de fazer um exame completo — respondeu Loftus.

Olhou em torno com ar inquieto. As mulheres estavam se aproximando. Os homens lá fora também começavam a entrar.

Parker Pyne falou com o motorista, um rapaz moço, de tipo atlético. Carregou cada uma das mulheres, levando-as pela lama para um local seco. Madame Pentemian e Netta ele levou com facilidade, mas cambaleou sob o peso da robusta srta. Pryce.

O interior do ônibus foi evacuado para que o médico pudesse fazer o seu exame.

Os homens voltaram aos seus esforços para erguer o veículo. Nesse momento, o sol apareceu no horizonte. O dia ia ser maravilhoso. A lama estava secando com rapidez, mas o carro ainda estava atolado. Já tinham quebrado três macacos, e até agora os esforços tinham sido inúteis. Os motoristas começaram a preparar o café da manhã, abrindo latas de salsichas e fervendo a água para o chá.

A pequena distância, o comandante Loftus estava fazendo o seu diagnóstico.

— Não há nenhuma marca ou ferida nele. Como já disse, ele deve ter batido com a cabeça contra o teto.

— O senhor tem certeza de que ele teve morte natural? — perguntou Parker Pyne.

Alguma coisa em sua voz fez com que o médico o olhasse rapidamente.

— Só há uma outra possibilidade.

— Sim?

— Bem, que alguém tenha golpeado sua nuca com algo parecido com um saco de areia... — sua voz parecia a de quem pede desculpas.

— Não parece muito plausível — disse Williamson, o outro oficial da Força Aérea, um rapaz de ar angelical. — Isto é, ninguém podia fazer isso sem ser visto.
— E se nós estivéssemos dormindo? — perguntou o médico.
— O camarada não podia ter certeza — falou o outro.
— Levantar-se e fazer tudo isso teria acordado algum de nós.
— A única maneira — disse Poli — seria alguém que estivesse sentado atrás dele. Podia escolher o momento e nem precisava se levantar da poltrona.
— Quem estava sentado atrás do capitão Smethurst?
— perguntou o médico.

O'Rourke respondeu prontamente:
— Hensley, senhor... como o senhor vê, não adiantou nada. Hensley era o melhor amigo de Smethurst.

Houve um silêncio. Então a voz de Parker Pyne falou com muita certeza:
— Acho — disse ele — que o tenente Williamson tem algo a nos dizer.
— Eu, senhor? Eu... bem...
— Fale de uma vez, Williamson — disse O'Rourke.
— Não é nada... ora, não é nada.
— Fale logo!
— Foi só um pedacinho de conversa que ouvi, em Rutba... no pátio. Eu tinha voltado para o carro para procurar a minha cigarreira. Estava procurando por todos os cantos. Dois sujeitos estavam do lado de fora conversando. Um deles era Smethurst. Ele estava dizendo...

Fez uma pausa.
— Ande, homem, fale de uma vez!
— Alguma coisa de não deixar um companheiro em má situação. Parecia muito aflito. Então ele disse: "Não vou soltar a língua até chegarmos a Bagdá — mas nem um minuto a mais. Você trate de escapar depressa."
— E o outro homem?

— Não sei quem era, senhor. Juro que não sei quem era. Estava escuro, e ele só disse uma ou duas palavras que eu não pude entender.

— Quem de vocês conhecia bem Smethurst?

— Acho que a palavra *companheiro* só podia se referir a Hensley — disse O'Rourke lentamente. — Eu conhecia Smethurst, mas ligeiramente. Williamson é novo aqui... e o comandante Loftus também. Acho que nenhum dos dois já o conhecia.

Ambos concordaram.

— Você, Poli?

— Eu nunca tinha visto este rapaz antes de atravessarmos o Líbano no mesmo carro em que viemos de Beirute.

— E aquele armênio?

— Ele não podia ser o companheiro — disse O'Rourke com decisão. — E nenhum armênio teria coragem de matar alguém.

— Talvez eu tenha uma pequena pista a mais — disse Parker Pyne.

Repetiu a conversa que tivera com Smethurst no café, em Damasco.

— Ele usou a frase "Não gosto de deixar um amigo em apuros" — comentou O'Rourke, pensativo. — E estava preocupado.

— Ninguém tem mais nada a acrescentar? — perguntou Parker Pyne.

O médico pigarreou.

— Talvez não tenha nada a ver com isso... — começou ele.

Foi instado a continuar.

— Foi só o que ouvi Smethurst falar a Hensley: "Você não pode negar que houve um desfalque no seu departamento."

— Quando foi isso?

— Logo depois que saímos de Damasco, ontem de manhã. Pensei que ele estava falando só do trabalho. Não imaginei que... — parou.

— Meus amigos, isso é muito interessante — disse o italiano.
— Peça por peça, vocês compõem a situação.
— O senhor disse um saco de areia — disse Parker Pyne. — Um homem poderia fabricar tal arma?
— Areia não falta — disse o médico secamente, apanhando um pouco de areia nas mãos enquanto falava.
— Se o senhor puser um pouco dentro de uma meia... — começou O'Rourke, e hesitou.
Todos se lembravam das duas frases curtas de Hensley, na noite passada: "Sempre trago meias sobressalentes. A gente nunca sabe."
Houve um silêncio. Então Parker Pyne disse calmamente:
— Comandante Loftus, acho que o par de meias sobressalentes do sr. Hensley está no bolso do seu sobretudo, que nesse momento está dentro do ônibus.
Todos os olhares convergiram para a figura que caminhava de um lado para o outro, a distância. Hensley fora deixado em paz desde a descoberta do morto. Seu desejo de solidão foi respeitado, pois todo mundo sabia que ele e o morto tinham sido amigos.
Parker Pyne continuou:
— Quer fazer o favor de buscá-las e trazê-las até aqui?
O médico hesitou.
— Não gosto da ideia de... — murmurou ele. Olhou de novo para a figura que caminhava ao longe. — Parece-me uma baixeza...
— Faça o favor de buscá-las — disse Parker Pyne. — As circunstâncias não são formais. Estamos ilhados aqui, e precisamos saber a verdade. Se o senhor for buscar as meias, acho que vamos dar mais um passo.
Loftus voltou-se, obediente.
Parker Pyne puxou o Signor Poli para um lado.
— Acho que era o senhor que estava no banco do lado oposto ao do capitão Smethurst.
— Era sim.

— Alguém se levantou e passou por lá?
— Só a senhora inglesa, a srta. Pryce. Ela foi até o lavatório na traseira do ônibus.
— Ela por acaso tropeçou?
— Ela se desequilibrou um pouco com o movimento do ônibus, é natural.
— Ela foi a única pessoa que o senhor viu passar?
— Foi.
O italiano olhou com curiosidade para ele e disse:
— Estou imaginando quem é o senhor. Está comandando, mas não é nenhum soldado.
— Já vi muita coisa na vida — respondeu Parker Pyne.
— Viajou muito, foi?
— Não — retrucou Parker Pyne. — Fiquei sentado num escritório.
Loftus voltou trazendo as meias. Parker Pyne pegou-as e as examinou. Em uma delas ainda havia um pouco de areia úmida.
Parker Pyne suspirou fundo.
— Agora eu sei — disse.
Todos os olhares se fixaram na figura que continuava a caminhar ao longe.
— Gostaria de dar uma espiada no corpo, se puder — disse Parker Pyne.
Acompanhou o médico até onde jazia o corpo de Smethurst, coberto por uma lona.
O médico levantou a cobertura.
— Não há nada para ver — disse.
Mas os olhos de Parker Pyne estavam fixos na gravata do morto.
— Então Smethurst estudou em Eton — disse ele.
Loftus olhou-o surpreso.
Parker Pyne surpreendeu-o ainda mais.
— O que sabe o senhor sobre o jovem Williamson? — perguntou.
— Nada. Só o conheci em Beirute. Vim do Egito. Mas por quê? Certamente não foi ele que...

— Bem, é pela sua evidência que vamos enforcar um homem, não é? — disse Parker Pyne jovialmente. — Precisamos ser cuidadosos.

Ele ainda parecia interessado na gravata e no colarinho do morto. Perguntou:

— Está vendo isso?

— Na parte de trás do colarinho havia uma pequena mancha de sangue.

Olhou mais de perto para o pescoço descoberto.

— Este homem não foi morto por uma pancada na cabeça — disse bruscamente. — Ele foi apunhalado... na base do crânio. O senhor pode ver a minúscula picada.

— E eu não tinha visto!

— O senhor estava com uma ideia preconcebida — comentou Parker Pyne, desculpando-o. — Uma pancada na cabeça. Mal dá para se ver a ferida. Uma punhalada rápida com um pequeno instrumento agudo, e a morte foi instantânea. A vítima nem teve tempo de gritar.

— O senhor quer dizer um estilete? Acha que Poli...?

— Italianos e estiletes estão sempre juntos na imaginação popular. Um carro chegando!

Surgiu um ônibus de turistas.

— Ótimo — disse O'Rourke juntando-se a eles. — As senhoras poderão seguir nele.

— E o nosso assassino? — perguntou Pyne.

— O senhor quer dizer Hensley...

— Não, não quero dizer Hensley — disse Parker Pyne. — Acontece que eu sei que Hensley é inocente.

— O senhor... mas como?

— Bem, ele tinha areia nas meias.

O'Rourke olhou espantado para ele.

— Eu sei, meu rapaz — disse Parker Pyne gentilmente —, que não faz sentido, mas é isso mesmo. Smethurst não foi ferido na cabeça; como está vendo, ele foi apunhalado.

Fez uma pausa e continuou:

— Pense na conversa sobre a qual lhe falei... a conversa que tive com ele no café. Você escolheu a frase que lhe parecia ter uma significação. Mas foi a outra frase que me chamou a atenção. Quando eu disse a ele que ouvia confidências dos outros, ele me disse: "O quê? — O senhor também?" Isso não lhe diz nada? Não é estranho? Eu não sabia que vocês chamavam de *confidências* uma série de irregularidades no departamento. Ouvir confidências me parece mais a descrição de alguém como o foragido Samuel Long, por exemplo.

O médico se espantou. O'Rourke disse:

— É... talvez...

— Eu disse de brincadeira que talvez o desaparecido sr. Long estivesse no nosso grupo. Suponhamos que isso seja verdade...

— O quê... mas é impossível!

— Absolutamente. O que vocês sabem sobre as pessoas além de seus passaportes e do que elas dizem de si mesmas? Serei eu realmente o sr. Parker Pyne? O Signor Poli é mesmo um italiano? E o que dizer da mais velha das senhoritas Pryce, que até parece que anda precisando fazer a barba?

— Mas ele... mas Smethurst... será que ele conhecia Long?

— Smethurst era um antigo aluno de Eton. Long também esteve em Eton. Smethurst talvez o conhecesse, mas não nos disse nada. É possível que o tenha reconhecido entre nós. E, sendo assim, o que fazer? Ele tinha uma mente simples e se preocupou com o assunto. Decidiu por fim que não diria nada até chegarmos a Bagdá. Mas, depois, ninguém mais seguraria a sua língua...

— O senhor acha que um de *nós* é Long? — indagou O'Rourke ainda espantado.

Ele tomou fôlego.

— Deve ser o italiano... só pode ser... Ou será que é o armênio?

— Disfarçar-se de um estrangeiro e conseguir um passaporte de outro país é na verdade muito mais difícil do que continuar inglês — disse Pyne.

— A srta. Pryce? — gritou O'Rourke incrédulo.
— Não — disse Parker Pyne. — É *este* o nosso homem!
Ele colocou, quase amigavelmente, uma das mãos sobre o ombro do homem que estava a seu lado. Mas não havia nada amigável em sua voz, e seus dedos o seguraram como se fossem garras.
— Comandante Loftus ou sr. Samuel Long, não importa como o chamem!
— Mas isso é impossível!... Impossível! — gaguejou O'Rourke.
— Loftus está na Força Aérea há anos!
— Mas você nunca o tinha visto antes, não é? Ele era um estranho para todos vocês. Não é o verdadeiro Loftus, naturalmente.
O acusado quebrou o silêncio em que se mantinha:
— Muito hábil de sua parte adivinhar. A propósito, como foi que descobriu?
— Sua declaração ridícula de que Smethurst fora morto batendo com a cabeça. O'Rourke lhe deu essa ideia ontem quando nós estávamos conversando em Damasco. Você pensou... que coisa simples! Era o único médico que estava conosco... tudo o que dissesse seria aceito. Você tinha a maleta de Loftus. Tinha seus instrumentos. Era simples escolher um estilete qualquer para seus propósitos. Inclinou-se para conversar com ele e, enquanto falava, enfiou-lhe o pequeno punhal na nuca. Continuou conversando mais um ou dois minutos. Estava escuro no ônibus. Quem ia suspeitar?
"Então houve a descoberta do corpo. Você deu o seu diagnóstico. Mas não foi tão fácil assim. Pelo menos não foi como você imaginava. Surgiram dúvidas. Você resolveu cair numa segunda linha de defesa. Williamson repetiu a conversa que ele escutara. Todos pensaram que se tratava de Hensley, e você acrescentou uma pequena história inventada sobre o desfalque no departamento de Hensley. Foi então que eu fiz o teste final: mencionei a areia e as meias. Mandei você buscar as meias *para que*

ficássemos sabendo da verdade. Mas com isso eu não quis dizer exatamente o que estava pensando. *Eu já tinha examinado as meias de Hensley.* Não havia areia em nenhuma delas. Foi você quem a pôs."

O sr. Samuel Long acendeu um cigarro.

— Desisto — disse ele. — Minha sorte mudou. Bem, foi muito bom enquanto durou. Eles já estavam nos meus calcanhares quando cheguei ao Egito. Encontrei-me com Loftus. Ele estava de partida para Bagdá e não conhecia ninguém aqui. Era bom demais para que eu perdesse a oportunidade. Comprei-o. Ele me custou vinte mil libras. O que era isso para mim? Então, por um azar do destino, me encontrei com Smethurst, a maior besta que já conheci! Ele era praticamente meu escravo em Eton. Fazia tudo o que eu queria. Me adorava como se eu fosse um herói, naquele tempo. Não gostou da ideia da minha fuga. Fiz o que pude para convencê-lo, e afinal ele concordou e prometeu que não contaria nada a ninguém até chegarmos a Bagdá. Qual a oportunidade que eu teria então? Nenhuma. Só havia uma maneira: eliminá-lo. Mas lhes garanto que não sou um assassino por natureza. Meus talentos são completamente opostos.

Seu rosto mudou, contraiu-se. Ele vacilou e despencou para a frente.

O'Rourke debruçou-se sobre ele.

— Provavelmente ácido prússico... no cigarro — disse Parker Pyne. — O jogador perdeu a sua última cartada.

Olhou em volta — para o imenso deserto. O sol brilhava sobre eles. Ontem mesmo eles tinham deixado Damasco — pelo Portão de Bagdá.

Não passes por aqui, ó Caravana, ou pelo menos não passes por aqui cantando.

Escutaram

Este silêncio onde os pássaros morreram, mas onde, ainda assim, algo chilreia como um pássaro?

A casa de Shiraz

Eram seis horas da manhã quando Parker Pyne deixou a Pérsia,[3] depois de uma parada em Bagdá.

O espaço para os passageiros no pequeno avião era limitado, e a largura dos assentos não podia acomodar com conforto o corpanzil de Parker Pyne. Com ele viajavam duas outras pessoas: um homem corpulento e corado, que Parker Pyne julgava ser do tipo falador, e uma mulher magra com lábios apertados e ar de determinação.

"De qualquer modo", pensou Parker Pyne, "não me parece que me queiram consultar profissionalmente".

E não queriam mesmo. A mulherzinha era uma missionária norte-americana, sobrecarregada de trabalho e de felicidade, e o homem corado, empregado de uma companhia de petróleo. Fizeram um resumo de suas vidas para o seu companheiro de viagem, antes que o avião levantasse voo.

— Sinto muito, mas sou um mero turista — disse Parker Pyne, desculpando-se. — Estou indo para Teerã, Isfahan e Shiraz.

E a pura musicalidade destes nomes o encantava tanto que ele os repetiu. Teerã. Isfahan. Shiraz.

Parker Pyne olhava para o campo embaixo deles. Era um deserto sem relevo. Sentiu o mistério destas vastas e desabitadas regiões.

Em Kermanshah, o aparelho desceu para que examinassem os passaportes e passassem pela alfândega. Uma das malas de Parker Pyne foi aberta. Uma pequena caixa de papelão foi examinada com excitação. Fizeram muitas perguntas. Como Parker Pyne não falava nem compreendia o persa, foi complicado.

O piloto do avião se aproximou. Era um rapaz alemão, de boa aparência, com olhos azuis profundos e um rosto queimado de sol.

---

[3] Atual Irã. (N.E.)

— Precisa de alguma coisa? — perguntou ele com gentileza.

Parker Pyne, que se desdobrava numa pantomima realista e excelente, mas que, ao que parecia, não estava surtindo muito êxito, virou-se aliviado para o outro.

— É pó contra insetos — disse ele. — Será que você pode explicar isso a eles?

O piloto o olhou intrigado.

— Como?

Parker Pyne repetiu a explicação em alemão. O piloto fez uma careta de compreensão e traduziu a frase para o persa. Os graves e tristonhos oficiais ficaram satisfeitos com a explicação; os rostos pesarosos relaxaram; sorriram. Um deles chegou até a rir. Acharam cômica a ideia.

Os três passageiros ocuparam seus lugares, e o avião continuou a viagem. Fizeram uma descida rápida em Hamadan para deixar a correspondência, mas o avião nem chegou a parar. Parker Pyne deu uma espiada para baixo, tentando ver se podia distinguir a pedra de Behistun, o romântico local de onde Dario descreveu a extensão de seu império e de suas conquistas em três línguas diferentes — babilônio, medo e persa.

Era uma hora da tarde quando eles chegaram a Teerã. Não houve mais nenhuma formalidade de polícia. O piloto alemão se adiantara e estava de pé ao lado de Parker Pyne, sorrindo enquanto ele terminava de responder a um longo interrogatório que, absolutamente, não tinha compreendido.

— O que foi que eu disse? — perguntou ele ao alemão.

— Que o primeiro nome de seu pai é Turista, que a sua profissão é Charles, que o nome de solteira de sua mãe é Bagdá e que o senhor está vindo de Harriet.

— Será que faz diferença?

— Não tem a mínima importância. Responda qualquer coisa; é só isso que eles querem.

Parker Pyne estava desapontado com Teerã. Achou-a lastimavelmente moderna. Disse isso na noite seguinte, quando se encontrou por acaso com Herr Schlagal, o piloto, ao entrar no hotel. Num impulso, ele convidou o rapaz para jantar, e o alemão aceitou.

O garçom georgiano se aproximou e anotou os pedidos. A comida chegou. Quando estavam na torta, uma coisa meio pegajosa, feita de chocolate, o alemão falou:

— Então o senhor vai para Shiraz?

— É, vou de avião. Depois volto por Isfahan, vindo para Teerã pela estrada. É você que vai pilotar o avião amanhã para Shiraz?

— *Ach*, não. Volto para Bagdá.

— Você já está aqui há muito tempo?

— Três anos. Nosso serviço foi estabelecido há três anos. Nunca tivemos um acidente, — *unberufen!* — Bateu na mesa.

O café foi servido em xícaras muito grossas. Os dois homens fumavam.

— Meus primeiros passageiros foram duas senhoras — disse o alemão, relembrando. — Duas senhoras inglesas.

— É mesmo? — disse Parker Pyne.

— Uma delas era uma moça muito bem-nascida, filha de um ministro... como era mesmo o nome?... Lady Esther Carr. Era bonita, muito bonita, mas louca.

— Louca?

— Completamente louca. Ainda mora lá em Shiraz, numa enorme casa da localidade. Só usa roupas orientais. Nunca recebe os europeus. Veja se é vida para uma senhora grã-fina viver?

— Há outras — disse Parker Pyne. — Havia uma Lady Stanhope...

— Essa é louca — cortou o outro bruscamente. — A gente percebe nos olhos. Eram como os do comandante do meu submarino, na guerra. Agora ele está num hospício.

Parker Pyne ficou pensativo. Ele se lembrava muito bem de Lord Micheldever, o pai de Lady Esther Carr. Trabalhara sob suas ordens quando ele era secretário do

Interior. Um homem enorme, louro, com risonhos olhos azuis. Vira Lady Micheldever uma vez, uma famosa beldade irlandesa de cabelos pretos e olhos azul-violeta. Eram ambos elegantes, pessoas normais, mas, apesar de tudo, *sabia-se* que havia uma loucura na família. Aparecia de vez em quando, sempre pulando uma geração. "Era muito estranho", pensou ele, "que Herr Schlagal destacasse o fato".

— E a outra senhora? — perguntou vagamente.

— A outra senhora... morreu.

Sua voz de alguma forma chamou a atenção de Parker Pyne, que o olhou vivamente.

— Tenho coração — disse Herr Schlagal. — Sinto as coisas. Para mim, ela era muito, muito linda, a outra moça. O senhor sabe como é, essas coisas acontecem com a gente sem querer, de repente. Ela era uma flor... uma flor. — Suspirou profundamente. — Fui vê-las uma vez, na casa de Shiraz. Lady Esther me convidou. Minha pequena flor, minha flor... ela estava com medo de alguma coisa; eu percebi. Quando voltei de Bagdá, soube que ela tinha morrido. Morta!

Fez uma pausa e acrescentou, pensativo:

— É possível que a outra a tenha assassinado. Ela estava louca, posso lhe garantir.

Suspirou outra vez, e Parker Pyne pediu dois bénédictines.

— O curaçau é muito bom — disse o garçom da Geórgia, e trouxe-lhes dois curaçaus.

Logo depois do meio-dia do dia seguinte, Parker Pyne teve a sua primeira visão de Shiraz. Tinham voado sobre cadeias de montanhas, entremeadas de vales estreitos e desolados, todos áridos, ermos, estéreis. De repente, surgiu Shiraz — uma joia verde-esmeralda no coração do deserto.

Parker Pyne gostou mais de Shiraz do que de Teerã. As características primitivas do hotel não o apavoraram, nem tampouco o aspecto igualmente primitivo das ruas.

Estava no meio de uma festa persa. O Festival de Nan Ruz tinha começado na noite anterior, o período de quinze dias em que os persas celebram o seu ano-novo. Passeou entre os bazares desertos e vagou pelas grandes extensões abertas do lado norte da cidade. Shiraz inteira estava entregue às celebrações.

Um dia ele foi até o lado de fora da cidade. Estivera no túmulo de Hafiz, o poeta, e, ao voltar, ficou fascinado por uma casa. Era toda recoberta de azulejos azuis, rosas e amarelos, engastada no meio de um jardim muito verde, cheio de fontes, rosas e laranjeiras. Parecia uma casa de sonho.

Naquela noite, jantando com o cônsul inglês, perguntou de quem era a casa.

— Fascinante, não é? Foi construída por um antigo e rico governador do Luristão que se aproveitou muito de sua posição social. Hoje é de uma inglesa. Você deve ter ouvido falar dela: Lady Esther Carr. Doida varrida. Vive completamente à nativa. Não quer saber de ninguém nem de nada ligado à Inglaterra.

— É jovem?

— Ainda é moça demais para bancar a louca dessa forma. Deve ter uns trinta anos.

— Havia uma outra inglesa com ela, não é? Uma mulher que morreu?

— É, foi há uns três anos. Ela morreu no dia seguinte ao da minha posse aqui, imagine. Barham, meu antecessor, morreu de repente, lembra-se?

— Como foi que ela morreu? — perguntou Parker Pyne sem prestar atenção.

— Caiu daquela varanda ou do balcão do primeiro andar. Era empregada ou dama de companhia de Lady Esther, não me lembro bem. De qualquer maneira, estava levando a bandeja do café da manhã e tropeçou no beiral. Muito triste, não se podia fazer nada; quebrou a cabeça nas pedras lá embaixo.

— Como era o nome dela?

— King, acho; ou era Wills? Não, Wills é a missionária. Era uma moça muito bonita.
— Lady Esther ficou aborrecida?
— Ficou... não, não sei. Ela é muito excêntrica; nunca entendi seus sentimentos. Ela é muito... bem, é uma criatura muito altiva. Vê-se que é alguém importante, acho que você entende o que quero dizer. Ela me assusta um pouco com suas maneiras mandonas e seus olhos escuros e faiscantes.

Riu como se se desculpasse. Olhou com curiosidade para seu companheiro. Aparentemente Parker Pyne estava olhando para o espaço vazio. O fósforo que riscava para acender o cigarro estava se consumindo, esquecido em sua mão. Foi queimando, até à ponta dos dedos, e ele o largou com uma exclamação de dor. Foi então que percebeu a expressão intrigada do cônsul e sorriu.

— Perdão — disse.
— Estava distraído, não estava?
— Distraído até demais — disse Parker Pyne enigmaticamente.

Falaram de outros assuntos.

Naquela noite, à luz de uma pequena lamparina a óleo, Parker Pyne escreveu uma carta. Hesitou muito sobre a sua fórmula. Finalmente ela foi feita de modo muito simples:

O sr. Parker Pyne apresenta seus cumprimentos a Lady Esther Carr e lembra-lhe de que está hospedado no hotel Fars nos próximos três dias, caso ela queira consultá-lo.

Colocou anexo um recorte — o famoso anúncio:

VOCÊ É FELIZ? SE NÃO FOR, CONSULTE O SR. PARKER PYNE. RUA RICHMOND, 17.

— Isso deve ser suficiente — disse Parker Pyne ao se deitar meio sem jeito em sua cama desconfortável. — Deixe ver, quase três anos; é, acho que isso basta.

No dia seguinte, por volta das quatro horas da tarde, a resposta chegou. Foi trazida por um criado persa que não sabia falar inglês.

Lady Esther Carr ficará satisfeita se o sr. Parker Pyne for visitá-la às nove horas da noite de hoje.

Parker Pyne sorriu.

Foi o mesmo criado que o recebeu naquela noite. Foi conduzido através de um escuro jardim até uma escada externa que levava à parte de trás da casa. De lá, passou por uma porta que dava para o pátio central, uma espécie de balcão todo aberto para o céu. Um enorme divã estava colocado junto à parede, e sobre ele se reclinava uma figura impressionante.

Lady Esther estava vestida com roupas orientais, e podia-se imaginar que uma das razões para a sua preferência era que elas destacavam ainda mais o seu tipo suntuoso de beleza oriental. Altiva, dissera o cônsul a seu respeito, e era mesmo altiva que ela parecia. Tinha o queixo erguido e as sobrancelhas arrogantes.

— É o sr. Parker Pyne? Sente-se ali.

Sua mão apontou para um amontoado de almofadas. Em seu terceiro dedo faiscava uma enorme esmeralda esculpida com o brasão de sua família. "Devia ser parte da herança e valer uma pequena fortuna", pensou Parker Pyne.

Ele se abaixou obedientemente, se bem que com certa dificuldade. Para um homem de seu porte, não era fácil sentar-se no chão com muita destreza.

Apareceu uma criada com o café. Parker Pyne recebeu uma xícara e saboreou o líquido escuro.

Sua anfitriã adquirira o hábito oriental da calma infinita. Ela não se apressava em sua conversa. Também tomava o café com os olhos semicerrados. Finalmente falou:

— Então o senhor ajuda as pessoas infelizes. Pelo menos é o que afirma o seu anúncio.

— É.

— Por que o mandou para mim? É seu hábito... fazer negócios em suas viagens? Havia qualquer coisa de decididamente ofensivo em sua voz, mas Parker Pyne ignorou. Respondeu simplesmente:

— Não. Para mim as viagens significam férias completas dos meus negócios.

— Por que então o mandou?

— Porque tenho motivos para acreditar que a senhora... é infeliz.

Houve um momento de silêncio. Ele estava muito curioso. "Como é que ela aceitaria isso?" Ela ficou um minuto pensando. Depois sorriu.

— Suponho que o senhor pensou que qualquer pessoa que abandona este mundo, que vive como eu vivo, completamente afastada da minha raça, do meu país, deve ser uma pessoa muito infeliz! Tristezas, frustrações... pensa que foi uma coisa desse tipo que me obrigou a este exílio? Ora, como posso fazê-lo compreender? Lá... na Inglaterra... eu era como um peixe fora d'água. Aqui sou eu mesma. Sou uma oriental de coração. Adoro a minha reclusão. Duvido de que o senhor possa entender isso. Para o senhor, devo parecer — hesitou — uma louca.

— A senhora não é louca — retrucou Parker Pyne.

Havia um tom afirmativo na sua voz, uma grande segurança. Ela o olhou com curiosidade.

— Mas é o que todos dizem que sou, suponho. Tolos! É preciso gente de todos os tipos para se formar o mundo. Sou absolutamente feliz!

— E, no entanto, a senhora me chamou — disse Parker Pyne.

— Devo admitir que fiquei curiosa para conhecê-lo — hesitou. — Além disso, não quero nunca mais voltar para lá... para a Inglaterra... mas, de qualquer forma, às vezes gosto de saber o que está se passando por lá...

— No mundo que abandonou?

Ela concordou com a frase balançando a cabeça. Parker Pyne começou a falar. Sua voz era suave e reconfortante, e se levantava de vez em quando, ao enfatizar um ou outro ponto importante.

Falou de Londres, dos mexericos sociais, de homens e mulheres famosos, dos novos restaurantes e dos novos clubes noturnos, das corridas de cavalos, dos campeonatos de tiro ao alvo e dos escândalos que se passavam nas casas de campo. Falou de roupas, da moda de Paris, das lojinhas em ruas estreitas onde se conseguiam pechinchas incríveis. Descreveu os teatros e os cinemas, falou dos novos filmes, descreveu os edifícios dos novos jardins suburbanos, falou de bulbos, de plantas e de jardinagem, e terminou com uma descrição da noite de Londres, com os ônibus e aquela multidão apressada voltando para casa depois de um dia de trabalho, e de suas casinhas que os esperavam e de toda a estranha e íntima forma da vida familiar inglesa.

Foi uma cena extraordinária, uma demonstração vasta e insólita de conhecimento e uma clara exposição dos acontecimentos. A cabeça de Lady Esther estava curvada, a arrogância de sua pose tinha desaparecido. Algumas vezes, as lágrimas quase caíram e, agora que ele terminara, ela pôs de lado toda a sua pretensão e soluçou abertamente.

Parker Pyne não disse nada. Ficou ali sentado, observando-a.

Seu rosto tinha aquela expressão calma e satisfeita de quem fez uma experiência e conseguiu o resultado desejado.

Finalmente ela levantou a cabeça.

— Muito bem — perguntou ele —, está contente?

— Agora sim... acho que estou. Como é que eu posso suportar; como é que eu posso suportar isso? Nunca mais viver lá; nunca mais ver... ninguém! — O choro veio violentamente. Ela se recompôs, enrubescendo. — Muito bem? — perguntou impetuosamente.

— Não vai fazer o comentário óbvio? Não vai dizer agora: "Se tem tanta vontade de voltar, por que não volta?"

— Não. — O sr. Parker Pyne balançou a cabeça. — Não é assim tão fácil para a senhora.

Pela primeira vez um ar medroso apareceu em seus olhos.

— O senhor sabe por que não posso voltar?

— Acho que sim.

— Está enganado. — Ela balançou a cabeça. — Não posso voltar por um motivo que o senhor nunca adivinharia.

— Não adivinho — disse Parker Pyne. — Observo... e classifico.

Outra vez ela balançou a cabeça.

— O senhor não sabe de nada, de nada.

— Pelo que vejo, tenho de convencê-la — disse Parker Pyne com um ar simpático. — Quando veio para cá, Lady Esther, a senhora veio de avião, suponho, pela nova linha de Bagdá.

— Sim?

— Foi trazida por um jovem piloto, Herr Schlagal, que, tempos depois, veio visitá-la.

— Sim.

Um "sim" diferente — um "sim" mais suave.

— E a senhora tinha uma amiga, ou uma acompanhante, que... morreu.

Ela respondeu com voz de aço, fria, ofensiva:

— Minha acompanhante.

— O nome dela era...?

— Muriel King.

— A senhora gostava dela?

— O que quer dizer com "gostava dela"? — Fez uma pausa, controlando-se. — Ela era útil para mim.

Disse isso desdenhosamente, e Parker Pyne se lembrou do que tinha dito o cônsul: "Vê-se que ela é importante, acho que você entende o que quero dizer."

— Ficou triste quando ela morreu?
— Eu... naturalmente! Realmente, sr. Pyne, é preciso relembrar tudo isso? — falou num tom zangado e continuou sem esperar resposta: — Foi muito gentil o senhor ter vindo. Mas estou um pouco cansada. Se me disser quanto lhe devo...?

Mas Parker Pyne não fez o menor movimento. Continuou calmamente com suas perguntas:

— Desde que ela morreu, Herr Schlagal não voltou. Suponhamos que ele viesse aqui... a senhora o receberia?

— Claro que não.

— Recusa-se terminantemente?

— Terminantemente. Herr Schlagal não será admitido aqui.

— Sim — disse Parker Pyne, pensativo. — A senhora não podia pensar de outra forma.

A armadura de defesa de sua arrogância diminuiu um pouco. Disse, meio incerta:

— Eu... não sei aonde o senhor quer chegar.

— A senhora sabia, Lady Esther, que o jovem Schlagal estava apaixonado por Muriel King? Ele é um rapaz sentimental. Ainda hoje preza muito a sua memória.

— Será mesmo? — Sua voz era quase um murmúrio.

— Como era ela?

— O que quer dizer com isso... como era ela? Como eu podia saber?

— A senhora deve ter olhado para ela algumas vezes — disse Parker Pyne calmamente.

— Ah, é isso. Era uma moça muito bonita.

— Mais ou menos da sua idade?

— É — fez uma pausa e falou em seguida: — Por que o senhor acha que esse... que esse Schlagal gostava dela?

— Porque ele me disse. Sim, da maneira mais inequívoca. Como já lhe falei, ele é um rapaz sentimental. Ficou satisfeito de poder confiar em mim. Ficou muito triste ao saber da maneira como a moça morreu.

Lady Esther ficou de pé num pulo.

— O senhor pensa que eu a assassinei?

Parker Pyne não ficou de pé num pulo. Ele não era homem para fazer essas coisas.

— Não, minha cara criança — disse ele. — Não penso que você a assassinou, e por isso aconselho-a a parar com esta representação o mais depressa possível, e voltar logo para casa. Quanto mais cedo, melhor para você.

— O que quer dizer com esta... *representação*?

— A verdade é que você perdeu o controle de seus nervos. É, perdeu mesmo. Perdeu completamente o controle... Pensou que ia ser acusada de assassinar a sua patroa.

A moça fez um movimento rápido. Parker Pyne continuou:

— Você não é Lady Esther Carr. Eu sabia disso antes de vir aqui, mas testei-a para ter certeza... — Seu sorriso apareceu, suave e bondoso. — Quando representei a minha peça ainda agora, eu a estava observando. Você reagia sempre como Muriel King, e não como Esther Carr. As lojas barateiras, os novos jardins suburbanos, os cinemas, as pessoas que voltavam para casa de ônibus e de trem... você reagiu a tudo isso. Escândalos no campo, os novos clubes noturnos, os falatórios de Mayfair, as corridas de cavalos, nada disso disse qualquer coisa para você.

Sua voz se tornou cada vez mais persuasiva e paternal.

— Sente-se e conte tudo o que aconteceu. Você não matou Lady Esther, mas pensou que podia ser acusada disso. Conte como foi que aconteceu.

Ela tomou fôlego; deixou-se cair pesadamente sobre o divã mais uma vez e começou a falar. As palavras chegavam depressa, por vezes num atropelo.

— Deveria começar... pelo começo!... eu... eu tinha medo dela. Ela era louca... não era doida varrida... só um pouquinho louca. Ela me trouxe para cá. Como uma tola, eu estava encantada; achei que era tão romântico. Pobre tolinha! Era isto que eu era, uma pobre tola! Houve um caso com um motorista. Ela era ninfomaníaca... absolutamente ninfomaníaca. Ele não queria nada com ela, e ela percebeu; os amigos dela ficaram sabendo, e ela foi motivo de riso para eles. Rompeu com a família e veio para cá. "Era apenas uma atitude para livrá-la da vergonha... a solidão do deserto... e todas essas coisas. Ela ia ficar algum tempo aqui e depois voltaria. Mas foi ficando cada vez mais esquisita. E então apareceu o piloto. Ela... ela se apaixonou por ele. Ele veio aqui para me ver, e ela pensou... Bom, o senhor entende? Mas ele deve ter falado claramente com ela.

"E aí, de repente, ela se virou contra mim. Foi horrível, assustadora. Disse que nunca mais eu voltaria para casa. Que eu estava em seu poder. Que eu não passava de uma escrava! Que ela tinha poder de vida e de morte sobre mim."

Parker Pyne concordava com a cabeça. Acompanhou o desenvolvimento da situação. Lady Esther se aproximando do limite da loucura, como já acontecera com outros membros da família, e aquela moça assustada, ignorante, que nunca tinha viajado, acreditando em tudo que ela dizia.

— Mas um dia aconteceu uma coisa que me fez voltar à razão. Enfrentei-a. Disse que, se esse dia chegasse, eu era mais forte do que ela. Disse que eu a jogaria sobre as pedras lá embaixo. Ela ficou assustada, muito assustada mesmo. Acho que ela pensava que eu era um verme desprezível. Dei um passo em direção a ela. Não sei o que foi que ela pensou que eu ia fazer. Ela recuou; ela... ela tropeçou no beiral! — Muriel King cobriu o rosto com as mãos.

— E depois? — Parker Pyne incitou-a a continuar.

— Perdi a cabeça. Pensei que iam dizer que eu a empurrara do terraço. Sei que ninguém me ia ouvir. Pensei que iam me atirar numa prisão horrorosa daqui. — Seus lábios tremiam. Parker Pyne viu claramente o terror irracional que a possuíra. — Foi então que me ocorreu a ideia... e se eu me fizesse passar por ela?! Sabia que havia um novo cônsul inglês que nunca tinha visto nenhuma de nós duas. Uma delas morrera...

"Achei que poderia controlar os criados. Para eles, nós éramos duas inglesas loucas. Quando uma morreu, a outra tomou o seu lugar. Dei-lhes bons presentes em dinheiro e mandei que chamassem o cônsul inglês. Quando ele chegou, eu o recebi como Lady Esther. Estava com o anel dela no meu dedo. Ele foi muito simpático e arranjou tudo. Ninguém teve a menor suspeita."

Parker Pyne balançou a cabeça, pensativo. O prestígio de um nome famoso. Lady Esther Carr podia ser doida varrida, mas ainda era Lady Esther Carr.

— E, depois — continuou Muriel —, me arrependi de ter feito aquilo. Vi que também tinha ficado louca. Estava condenada a ficar aqui representando o meu papel. Não via como podia escapar. Se eu confessasse a verdade agora, ia parecer ainda mais culpada do que se a tivesse mesmo assassinado. Oh! Sr. Pyne, o que é que eu posso fazer? O que é que eu posso fazer agora?

— Fazer? — Parker Pyne se pôs de pé com tanta rapidez quanto permitia o seu corpo. — Minha cara criança, você vai comigo até o cônsul inglês, que é uma pessoa muito amável e delicada. Haverá uma série de formalidades desagradáveis a cumprir. Não lhe prometo que vá tudo se passar em brancas nuvens, mas você não vai ser enforcada por assassinato. Por falar nisso, por que foi que a bandeja do café foi encontrada ao lado do corpo?

— Eu a joguei lá. Achei... achei que pareceria mais autêntico se houvesse uma bandeja ao lado do corpo. Foi tolice de minha parte?

— Foi um toque de gênio — disse Parker Pyne. — De fato, foi esse ponto que me fez pensar se você realmente não teria assassinado mesmo Lady Esther... isto é, até eu vê-la. Quando a vi, soube que você era capaz de qualquer coisa na vida, menos de matar alguém.

— O senhor quer dizer que eu não teria coragem?

— Seus reflexos não funcionariam — disse Parker Pyne, sorrindo. — Agora, vamos indo? Há um trabalho desagradável a ser feito, mas eu cuido de tudo, e depois...

vamos para casa em Streatham Hill... é em Streatham Hill que você mora, não é? É, eu imaginava que era. Vi o seu rosto se contrair quando falei num determinado número de ônibus. Vamos, minha cara?

Muriel King o seguiu.

— Eles nunca vão acreditar em mim — disse ela com nervosismo. — A família e os outros. Eles não vão acreditar que ela estava agindo daquela maneira.

— Pode deixar comigo — disse Parker Pyne. — Sei de uma porção de coisas sobre a família dela, sabe? Vamos, menina, não continue a bancar a covarde. Lembre-se de que há um rapaz em Teerã suspirando por você. Vou arranjar para que volte para Bagdá no avião dele.

A moça sorriu e corou.

— Estou pronta — disse com simplicidade. Ao sair em direção à porta, virou-se para ele. — O senhor disse que, antes de me ver, já sabia que eu não era Lady Esther Carr. Como podia ter certeza?

— Estatísticas — disse Parker Pyne.

— Estatísticas?

— É. Os dois, Lord e Lady Micheldever, tinham olhos azuis. Quando o cônsul falou que a filha deles tinha olhos *escuros* e faiscantes, percebi que havia algo errado. Pessoas de olhos castanhos podem ter uma criança de olhos azuis, mas o contrário é impossível. Um fato científico, posso lhe garantir.

— O senhor é maravilhoso! — disse Muriel King.

Uma pérola valiosa

O grupo de turistas teve um dia muito longo e cansativo. Tinham saído de manhã cedo de Amman, com uma temperatura de 37 graus à sombra e chegaram por fim, já ao escurecer, ao acampamento situado no coração da grotesca e fantástica cidade de pedras vermelhas, Petra.

Eram sete ao todo. O sr. Caleba P. Blundell, um bem nutrido e próspero magnata norte-americano. Seu secretário, um rapaz moreno e bem-apessoado, chamado Jim Hurst. Sir Donald Marvel, M.P.,[4] um político inglês de aparência cansada. Dr. Carver, um arqueólogo idoso conhecido mundialmente. Um francês galante, coronel Dubosc. Um sr. Parker Pyne, que talvez não demonstrasse com tanta evidência qual era a sua profissão, mas que exalava um ar britânico de seriedade. E, por fim, a srta. Carol Blundell, linda, mimada e extremamente segura de si, por ser a única mulher entre meia dúzia de homens.

Eles jantaram numa enorme tenda, depois de escolher as tendas e grutas onde iriam dormir. Falaram de política no Oriente Próximo, o inglês, com cautela; o francês, com discrição; o americano, de maneira insensata; o arqueólogo e o sr. Parker Pyne, de modo nenhum. Ambos pareciam preferir o papel de ouvintes. Igualmente o fez Jim Hurst.

Falaram depois da cidade que acabavam de visitar.

— É romântica demais para ser descrita em palavras — disse Carol. — Só de pensar naqueles... como era mesmo que se chamavam?... nabateus, vivendo aqui há tantos anos, quase que antes do início dos tempos!

— Não é tanto assim — disse Parker Pyne suavemente. — Não é mesmo, dr. Carver?

— Ah, é só uma questão de uns insignificantes dois mil anos... e se malfeitores podem ser considerados românticos... nesse caso acho que os nabateus são também. Eles eram um bando de salteadores abastados, eu diria, que obrigavam os viajantes a usarem as rotas deles, fazendo com que todas as outras fossem inseguras. Petra era uma espécie de depósito de seus lucros ilícitos.

— O senhor acha que eles eram só salteadores? — perguntou Carol. — Apenas ladrões comuns?

---

[4] Membro do Parlamento. (N.T.)

— Ladrões é uma palavra pouco romântica, srta. Blundell. Um ladrão sugere um larápio insignificante. Salteador sugere alguma coisa maior.
— E o que diremos de um moderno financista? — arriscou Parker Pyne com um piscar de olhos.
— Essa é para você, papai! — disse Carol.
— Um homem que ganha dinheiro beneficia a humanidade — sentenciou o sr. Blundell.
— A humanidade — murmurou Parker Pyne — é tão ingrata.
— O que é a honestidade? — perguntou o francês.
— É apenas uma *nuance*, uma convenção. Em países diferentes, tem significados diferentes. Um árabe não se envergonha de roubar. Não se envergonha de mentir. Para ele, o que conta é de *quem* ele rouba e para *quem* ele mente.
— É... é esse o ponto de vista deles — concordou Carver.
— O que prova a superioridade do Ocidente sobre o Oriente — disse Blundell. — Quando estas pobres criaturas se educarem...
Sir Donald entrou indolentemente na conversa.
— A educação está toda errada, vocês sabem. Ensina às pessoas uma quantidade de coisa inúteis. O que eu quero dizer é que não há nada que altere o que você é.
— Como assim?
— O que eu quis dizer é que... uma vez ladrão, sempre ladrão.
Durante um minuto, fez-se um silêncio pesado. Então Carol começou a falar fervorosamente sobre mosquitos, e seu pai a apoiou. Sir Donald, um pouco intrigado, murmurou para seu vizinho, Parker Pyne:
— Parece que cometi uma gafe, não acha?
— É curioso — disse Pyne.
Fosse qual fosse o embaraço momentâneo criado, uma pessoa não se dera conta dele. O arqueólogo se sentara

calado, os olhos abstraídos e sonhadores. Quando houve uma pausa na conversa, ele falou repentina e bruscamente:

— Vocês sabem — disse — concordo com isso... pelo menos, do ponto de vista oposto. Um homem é fundamentalmente honesto... ou então não é. Disso ninguém escapa.

— O senhor não acredita que uma tentação súbita, por exemplo, possa transformar um homem honesto num criminoso?

— Impossível! — disse Carver.

Parker Pyne balançou a cabeça devagar.

— Eu não diria impossível. O senhor sabe, há tantos fatores que devem ser levados em conta. A gota d'água, por exemplo.

— O que é que o senhor chama de a "gota d'água"? — perguntou o jovem Hurts, falando pela primeira vez. Sua voz era profunda, muito agradável.

— O cérebro está ajustado para aguentar certa carga. O que precipita uma crise, o que transforma um homem honesto num homem desonesto... pode ser uma coisa insignificante. É por isso que muitos crimes são absurdos. A causa, nove vezes em dez, é aquela insignificância de sobrecarga, a palha que descadeira o lombo do camelo.

— É pura psicologia o que o senhor está usando, meu amigo — disse o francês.

— Se um criminoso fosse um psicólogo, que grande criminoso ele seria! — Por seu tom de voz, via-se que Parker Pyne tinha gostado da ideia. — Quando pensamos que, em cada dez pessoas que encontramos, pelo menos nove poderiam ser induzidas a agir da maneira que quisermos, apenas pela aplicação do estímulo correto.

— Hum, explique isso! — disse Carol.

— Há os homens arrogantes. Grite mais alto do que eles... e eles lhe obedecerão. Há os homens contraditórios. Intimide-os na direção oposta à que você quer que eles sigam. Enfim, há os impressionáveis, o tipo mais comum de todos. São as pessoas que *viram* um automóvel porque ouviram uma buzina; que *veem* o carteiro porque ouviram um barulhinho na caixa do correio; que *veem* uma faca num ferimento porque se disse que alguém foi apunhalado; ou que *ouviram* uma pistola se alguém disser que um homem levou um tiro.

— Acho que ninguém me convenceria dessas coisas — disse Carol incrédula.

— Você é esperta demais para isso, queridinha — disse o pai.

— É a pura verdade o que disse — falou o francês refletindo.

— A ideia preconcebida engana os próprios sentidos. Carol bocejou.

— Vou para a minha gruta. Estou morta de cansada. Abbas Effêndi disse que nós temos que sair cedo amanhã. Ele vai nos levar ao local dos sacrifícios... ou lá o que seja.

— É onde sacrificavam moças jovens e bonitas — disse Sir Donald.

— Tenha dó, espero que não me peguem! Bem, boa noite para todos. Ah, deixei cair meu brinco!

O coronel Dubosc o apanhou e entregou a ela.

— São verdadeiros? — perguntou Sir Donald de repente. Ele olhava de um jeito descortês para as duas enormes pérolas solitárias em suas orelhas.

— São verdadeiros, sim — disse Carol.

— Custaram-me oitenta mil dólares — disse o pai dela com prazer. — E ela os aparafusa tão pouco que eles vivem caindo e rolando pelas mesas. Quer me arruinar, menina?

— Ora, papai, o senhor não ficaria arruinado nem se tivesse que comprar outro par — retrucou Carol com meiguice.

— Acho que não — concordou o pai. — Poderia comprar-lhe três pares de brincos, e isso não faria diferença no meu saldo no banco. — Deu uma olhada orgulhosa à sua volta.

— Que ótimo para o senhor! — exclamou Sir Donald.
— Bom, cavalheiros, acho que vou dormir também — disse Blundell. — Boa noite.

O jovem Hurst o seguiu.

Os outros quatro sorriram uns para os outros, como se tivessem tido o mesmo pensamento.

— Bem — falou devagar, Sir Donald — é bom saber que ele não sentiria falta desse dinheiro. Egoísta orgulhoso! — acrescentou com rancor.

— Estes americanos têm dinheiro demais! — disse Dubosc.

— É difícil — comentou Parker Pyne, tranquilo — que um homem rico seja apreciado pelos pobres.

Dubosc riu.

— Inveja a malícia? — sugeriu. — O senhor tem razão, Monsieur. Todos nós queremos ser ricos, para comprar brincos de pérolas quantas vezes quisermos. Exceto Monsieur, talvez.

Ele fez uma reverência para o dr. Carver, que, como sempre acontecia, estava outra vez distraído. Estava revirando um pequeno objeto nas mãos.

— Hein? — Saiu de sua abstração. — Não, não ambiciono pérolas grandes. Mas o dinheiro, o dinheiro é sempre útil... — O tom como disse isso colocava o dinheiro em seu devido lugar. — Mas, olhem isto aqui — disse ele. — Aqui está uma coisa cem vezes mais interessante do que as pérolas.

— O que é isso?

— É um carimbo cilíndrico de hematita preta, com uma cena gravada: um deus apresentando um suplicante a um deus entronizado e mais importante. O suplicante está carregando uma criança como oferenda, e o augusto deus que está no trono tem um lacaio que abana uma folha de palmeira para espantar as moscas. A inscrição está muito nítida e diz que o homem é um servo de Hammurabi; logo isto deve ter sido feito há quatro mil anos.

Apanhou um pedacinho de massa plástica no bolso, amassou-a sobre a mesa, passou um pouquinho de vaselina por cima e apertou o carimbo sobre ela, rolando de um lado para o outro. Depois, com um canivete, destacou um quadrado de massa e levantou-a delicadamente da mesa.

— Estão vendo?

A cena que ele descrevera estava impressa para eles em plastilina, nítida e bem definida.

Por um momento o encantamento do passado desceu sobre todos eles. Então, lá de fora, a voz do sr. Blundell se fez ouvir desafinada.

— Ei, camaradas! Vou levar minha bagagem dessa maldita gruta para uma tenda! Os maruins estão mordendo pra valer. Ainda não consegui pregar o olho!

— Maruins? — perguntou Sir Donald.

— Provavelmente são mosquinhas de areia — disse o dr. Carver.

— Gosto mais de maruins — disse Parker Pyne. — É um nome bem mais sugestivo.

O grupo partiu bem cedo na manhã seguinte, depois de várias exclamações sobre a cor e o formato das pedras. A cidade "cor-de-rosa" era na verdade uma extravagância inventada pela natureza num de seus dias mais pródigos e coloridos. O grupo andava devagar, já que o dr. Carver caminhava com os olhos para o chão, curvando-se ocasionalmente para apanhar pequenos objetos.

— Você conhece logo um arqueólogo — disse o coronel Dubosc, sorrindo. — Ele nunca olha para o céu, para as montanhas, nem para as belezas da natureza. Anda sempre de cabeça baixa, à procura...

— Sim, mas à procura de quê? — disse Carol. — O que é que o senhor está catando, dr. Carver?

Com um ligeiro sorriso, o arqueólogo mostrou-lhe um par de fragmentos de cerâmica barrenta.

— Isso não vale nada! — exclamou Carol com desdém.

— Cerâmica é mais interessante do que ouro — disse o dr. Carver.

Carol olhou-o, incrédula.

Chegaram a uma curva fechada e passaram por dois ou três túmulos cavados nas rochas. A subida tornou-se mais penosa. Os guardas beduínos iam à frente, oscilando indiferentes entre as encostas abruptas, sem nem olhar para baixo, para o precipício que ficava de um dos lados do caminho.

Carol ficou muito pálida. Um dos guardas inclinou-se e lhe deu a mão. Hurst deu um pulo para a frente e estendeu seu bastão como se fosse um corrimão do outro lado do precipício. Ela agradeceu com um olhar, e um minuto depois já estava a salvo num caminho mais largo de pedras. Os outros continuaram lentamente. O sol agora estava alto, e já se começava a sentir calor.

Finalmente chegaram a um platô largo, quase no topo. Uma subida fácil conduzia ao cimo, um grande bloco quadrado de rocha. Blundell disse ao guia que o grupo subiria sozinho. Os beduínos se colocaram confortavelmente contra as pedras e começaram a fumar. Mais alguns minutos e todos estavam no alto da pedra.

Era um local curioso, completamente deserto. A vista era maravilhosa, abarcando o vale por todos os lados. Eles estavam de pé sobre um assoalho retangular de pedra, com uma pequena depressão rochosa em volta e uma espécie de altar de sacrifícios no centro.

— Um lugar divino para sacrifícios — disse Carol com entusiasmo. — Mas, puxa! Eles deviam ter um trabalhão para trazer as vítimas cá para cima!

— Havia originalmente uma espécie de estrada de pedras em ziguezague — explicou o dr. Carver. — Vocês poderão ver os vestígios do outro lado, por onde vamos descer.

Passaram algum tempo comentando e conversando. Escutaram então um ligeiro tinido, e o dr. Carver disse:

— Acho que deixou cair seu brinco outra vez, srta. Blundell.

Carol levou a mão à orelha.

— Ah, deixei mesmo!

Dubosc e Hurst se puseram a procurar.

— Deve estar por aqui — disse o francês. — Não pode ter rolado para longe, porque não há por onde rolar. O lugar é como uma caixa quadrada.

— Não pode ter caído dentro de uma fenda? — perguntou Carol.

— Não há fenda nenhuma — disse Parker Pyne. — Você mesma pode ver. O local é absolutamente liso. Achou alguma coisa, coronel?

— Só um pedregulho — disse Dubosc sorrindo e atirando-o longe.

Pouco a pouco, um estado de espírito diferente — um estado de tensão — foi tomando conta das pessoas. Ninguém falou nada, mas as palavras "oitenta mil dólares" estavam presentes na consciência de todos.

— Você tem certeza de que estava com ele, Carol? — perguntou com rispidez seu pai. — Isto é, você não terá deixado cair na subida?

— Eu estava com ele até a hora em que pusemos o pé aqui na plataforma — disse Carol. — Eu sei, porque o dr. Carver reparou que ele estava frouxo e o apertou para mim. Não foi, doutor?

O dr. Carver confirmou. Foi Sir Donald quem fez a proposta que estava na cabeça de todo mundo.

— É um assunto muito desagradável, sr. Blundell — disse ele. — O senhor estava nos falando a noite passada sobre o valor desses brincos. Só um deles já vale uma pequena fortuna. Se esse brinco não for encontrado... e, ao que parece, não será... cada um de nós vai ficar sob suspeita.

— E de minha parte, insisto em ser revistado — adiantou-se o coronel Dubosc. — Não estou pedindo, exijo isso como um direito.

— Podem me revistar também — disse Hurst. Sua voz era áspera.

— O que acham vocês? — perguntou Sir Donald, olhando em torno.

— Certamente — disse Parker Pyne.

— Uma excelente ideia — disse o dr. Carver.

— Faço questão de ser revistado também — disse o sr. Blundell. — Tenho minhas razões, cavalheiros, se bem que não possa declará-las.

— Como queira — disse Sir Donald, cortesmente.

— Carol, minha querida, quer descer e esperar lá com os guias?

Sem dizer uma palavra, a moça os deixou. Seu rosto estava tenso e sombrio. Havia um ar de desespero no olhar que chamou a atenção de pelo menos um dos membros da comitiva, que se pôs a imaginar o que significaria.

A busca prosseguiu. Foi drástica e completa, e absolutamente inútil. Uma coisa era certa: ninguém estava com o brinco. Foi um pequeno grupo abatido que empreendeu a descida e que escutou indiferente as descrições e informações do guia.

Parker Pyne acabara de se vestir para o almoço quando apareceu uma pessoa à porta de sua tenda.

— Posso entrar, sr. Pyne?

— É claro, minha cara jovem, é claro.

Carol entrou e sentou-se à beira da cama. Seu rosto tinha o mesmo ar sombrio que ele já notara na manhã daquele dia.

— O senhor diz que soluciona os problemas das pessoas infelizes, não é? — perguntou ela.

— Estou de férias, srta. Blundell. Não estou aceitando nenhum caso.

— Bem, o senhor vai ter que aceitar este — disse a moça calmamente. — Olhe aqui, sr. Pyne, eu sou mais infeliz do que qualquer outra pessoa neste mundo!

— O que é que a perturba? — perguntou ele. — É o caso do brinco?

— Exatamente. O senhor disse tudo. Jim Hurst não o roubou, sr. Pyne. Eu sei que não foi ele.

— Não estou entendendo bem, srta. Blundell. Por que alguém haveria de pensar que foi ele?
— Por causa do seu passado. Jim Hurst já roubou uma vez. Ele foi apanhado lá na nossa casa. Eu... eu fiquei com pena dele. Parecia tão moço e desesperado...
"E tão bonito", pensou Parker Pyne.
— Convenci papai a lhe dar uma chance de se endireitar. Meu pai faz tudo o que quero. Bem, ele lhe deu uma oportunidade, e Jim correspondeu. Papai passou a confiar nele e a lhe contar todos os segredos de seus negócios. E, no final, ele levou a melhor, ou teria levado, se isso não tivesse acontecido.
— Por que você diz "levou a melhor"...?
— Quis dizer que eu quero me casar com Jim, e ele, comigo.
— E Sir Donald?
— Sir Donald é ideia do meu pai. Não é minha. O senhor acha que eu ia querer casar com um peixe empalhado como Sir Donald?
Sem expressar seus pontos de vista a essa descrição do jovem inglês, Parker Pyne perguntou:
— E o que é que Sir Donald acha disso tudo?
— Não nego que ele acharia bom para as suas terras arruinadas — disse Carol com desprezo.
Parker Pyne considerou a situação.
— Gostaria de lhe fazer duas perguntas — disse ele.
— À noite passada fizeram uma observação: "Uma vez ladrão, sempre ladrão."
A moça fez que sim com a cabeça.
— Agora percebo a razão do constrangimento que aquilo lhe causou.
— É, foi muito desagradável para Jim... para mim e para papai também. Fiquei com medo de que o rosto de Jim demonstrasse alguma coisa e então mudei de assunto e falei a primeira coisa que me veio à cabeça.
Parker Pyne concordou. Perguntou então:

— Por que seu pai insistiu em ser revistado hoje de manhã?

— Não entendeu? Eu vi logo. Papai tinha na cabeça que eu poderia pensar que tudo aquilo era uma maquinação contra Jim. Como o senhor pode perceber, ele está doido para que eu me case com o inglês. Bem, ele queria me mostrar que não estava fazendo nenhuma sujeira com Jim.

— Meu Deus! — disse Parker Pyne. — Isso é muito esclarecedor, mas num sentido geral, quero dizer. Não ajuda em nada o nosso inquérito particular.

— Eu não vou entregar os pontos!

— Não, não. — Ele ficou em silêncio por um momento e depois perguntou: — O que quer exatamente que eu faça, srta. Carol?

— Provar que não foi Jim quem pegou aquela pérola.

— E suponhamos... perdoe-me a franqueza... que tenha sido ele mesmo?

— Se o senhor acha que foi ele, está enganado, redondamente enganado.

— Sim, mas a senhorita pensou mesmo no caso? Não acha que a pérola possa ter tentado subitamente o sr. Hurst? A sua venda resultaria numa grande soma de dinheiro... uma base para futuras especulações, digamos?... que o tornariam independente, para poder casar-se, mesmo sem o consentimento de seu pai.

— Jim não faria isso — disse a moça ingenuamente.

Dessa vez Parker Pyne aceitou o seu julgamento.

— Bem, vou fazer o que for possível.

Ela fez que sim com a cabeça, impetuosamente, e saiu da tenda. Parker Pyne sentou-se por sua vez à beira da cama. Entregou-se a seus pensamentos. De repente, riu por entre os dentes.

— Estou ficando com o raciocínio muito lento — disse em voz alta.

Durante o almoço, estava muito alegre.

A tarde correu calma. A maior parte das pessoas dormiu. Quando Parker Pyne entrou na tenda grande, às 16h15, só o dr. Carver estava lá, examinando alguns fragmentos de cerâmica.

— Ah! — disse Parker Pyne, puxando uma cadeira para perto da mesa. — Era o senhor mesmo que eu queria ver. Pode me mostrar aquele pedaço de plastilina que está sempre com o senhor?

O arqueólogo apalpou o bolso, pegou o bastão de plasticina e o entregou a Pyne.

— Não — disse Parker Pyne, afastando-o com a mão —, não é este que eu quero. Quero aquele pedacinho de ontem à noite. Para ser franco, não é a plastilina que quero, e sim o que está dentro dela.

Houve uma pausa, e o dr. Carver disse devagar:

— Acho que não o estou entendendo.

— Acho que está, sim — disse Parker Pyne. — Quero o brinco de pérola da srta. Blundell.

Houve um silêncio mortal que durou um minuto. Então, o dr. Carver enfiou a mão no bolso e tirou um pedaço informe de plastilina.

— Muito hábil de sua parte — disse. Seu rosto estava inexpressivo.

— Gostaria que me contasse tudo — disse Parker Pyne. Seus dedos estavam ocupados. Com um resmungo, extraiu um brinco de pérola um pouco besuntado.

— Sei, é só por curiosidade — disse ele se desculpando —, mas eu gostaria de ouvir como foi.

— Eu lhe conto — disse Carver —, se o senhor me disser como foi que descobriu que tinha sido eu. O senhor não viu nada, viu?

Parker Pyne balançou a cabeça.

— Eu só pensei — disse.

— Foi realmente acidental no início — disse Carver. — Eu estava atrás de todo mundo hoje de manhã, e o encontrei caído no chão, na minha frente; deve ter caído da orelha da moça um pouco antes. Ela não percebeu. Ninguém tinha reparado. Apanhei-o e o pus no bolso, pensando devolvê-lo assim que os alcançasse. Mas esqueci... Foi então que, no meio da subida, comecei a pensar. A joia não queria dizer nada para aquela moça tola; seu pai podia comprar-lhe outro sem ligar para o preço. E para mim queria dizer muito. A venda da pérola equiparia uma expedição... — Seu rosto impassível se contraiu e pareceu voltar à vida. — O senhor sabe quais são as dificuldades que há hoje em dia para conseguirmos contribuições para escavações? Não, o senhor nem pode imaginar! A venda da pérola facilitaria tudo. Há um lugar onde eu quero escavar... lá no alto do Beluchistão. Há um capítulo inteiro do passado esperando para ser descoberto...

"O que se disse ontem à noite me veio à cabeça... sobre uma testemunha impressionável. Pensei que a moça era desse tipo. Quando chegamos lá em cima, eu lhe disse que seu brinco estava solto. Fiz menção de apertá-lo. O que fiz na verdade foi pressionar uma ponta de lápis em sua orelha. Minutos depois deixei cair uma pedrinha. Ela estava pronta a jurar que o brinco estava em sua orelha e que acabara de cair. Nesse meio-tempo, apertei a pérola dentro de um pedaço de massa plástica em meu bolso. E está aí a minha história. Não é muito edificante, não é? Agora é a sua vez."

— Não há mesmo uma história — disse Parker Pyne.
— O senhor era o único homem que apanhava coisa do chão... Foi isso o que me fez pensar. E o encontro daquele pedregulho foi muito significativo. Deu-me a ideia de seu estratagema. E então...

— Continue — disse Carver.

— Bem, ontem o senhor falou sobre honestidade com muita veemência. Protestou demais... lembra-se de Shakespeare? Pareceu-me que estava querendo convencer *a si mesmo* e depois falou de dinheiro com certo constrangimento.

O rosto do momento à sua frente estava muito marcado e deprimido.
— Então foi isso — disse ele. — Estou perdido. O senhor vai entregar o penduricalho de volta à moça, não é? Coisa estranha, este instinto bárbaro de ornamentação. Vem desde a era paleolítica. Um dos primeiros instintos do sexo feminino.
— Acho que o senhor está subestimando a srta. Carol — disse Parker Pyne. — Ela tem cabeça... e o que é mais, tem coração. Acho que não vai tocar nesse assunto com ninguém.
— Mas certamente o pai vai falar — disse o arqueólogo.
— Tenho certeza de que não. Veja o senhor que o "papai" tem lá as suas razões para ficar calado. Não existe essa história dos quarenta mil dólares pelo brinco. Uma mera nota de cinco é o que ele vale.
— O senhor quer dizer que...?
— É. A moça não sabe. Ela pensa que eles são mesmo verdadeiros. Comecei a suspeitar ontem à noite. O sr. Blundell falou um pouquinho demais sobre todo o dinheiro que tinha. Quando as coisas dão errado e alguém o pega... bem, o melhor é enfrentar com coragem a situação e blefar...
De repente o dr. Carver fez uma careta. Parecia um trejeito de criança, muito estranho, no rosto de um homem idoso.
— Nós somos todos uns pobres-diabos!
— Exatamente — disse Parker Pyne, e citou: "Mais vale a amizade do que seis vinténs."

Morte no Nilo

Lady Grayle estava nervosa. Queixava-se de tudo desde o momento em que pusera os pés a bordo do S.S. Fayoum. Não gostou de sua cabine. Suportava bem o sol da manhã, mas não suportava o da tarde. Pamela Grayle, sua sobrinha, amavelmente abriu mão de sua cabine no outro lado. Lady Grayle aceitou o oferecimento, resmungando.

Repreendeu a srta. MacNaughton, sua enfermeira, por lhe ter dado o lenço errado e deixado fora da mala o seu pequeno travesseiro. Foi áspera com seu marido, Sir George, por lhe ter comprado o colar errado. Era em lápis-lazúli que ela queria, e não em cornalina. George era um idiota!

Sir George disse aflito:

— Desculpe, querida, desculpe. Vou trocar. Temos tempo.

Ela só não reclamava de Basil West, o secretário particular de Sir George, porque nunca ninguém conseguia reclamar o que quer que fosse de Basil. Seu sorriso desarmava as pessoas antes que pudessem começar.

Mas o pior de tudo recaiu sobre o intérprete — um tipo imponente, ricamente vestido, incapaz de se perturbar com o que quer que fosse.

Quando Lady Grayle deu com os olhos num estranho sentado numa cadeira de vime e soube que ele era também um companheiro de viagem, sua cólera transbordou como água da torneira!

— Eles me disseram, com absoluta segurança, no escritório da companhia, que nós seríamos os únicos passageiros! É o fim da temporada e não havia mais ninguém viajando!

— Está certo, Lady — disse Mohammed. — Somente a senhora, seu grupo e um cavalheiro, mais ninguém.

— Mas me disseram que só nós estaríamos a bordo!

— Está muito certo, Lady.

— Não está absolutamente certo! Foi uma mentira! O que é que este homem está fazendo aqui?

— Ele veio depois, Lady. Depois que a senhora comprou passagens. Ele só resolveu ir hoje de manhã.

— Fui enganada!

— Está tudo certo, Lady. Ele é um cavalheiro muito sossegado, muito simpático, muito sossegado.

— O senhor é um idiota! Não sabe de nada. Onde está a srta. MacNaughton? Ah, está aí? Já lhe repeti uma porção de vezes que quero que fique sempre a meu lado. Posso ter uma tontura. Ajude-me a ir para a cabine e me dê uma aspirina, e não deixe Mohammed se aproximar de mim. Ele vive repetindo "Está certo, Lady", e acho que, se ouvir isso mais uma vez, eu grito.

A srta. MacNaughton lhe deu o braço sem dizer uma palavra. Era uma mulher alta, de uns 35 anos, de uma beleza tranquila e reservada. Levou Lady Grayle até a cabine, ajeitou-a com almofadas, deu-lhe uma aspirina e ouviu as suas queixas inconsistentes.

Lady Grayle tinha 48 anos. Sofrera desde os 16 pelo fato de ter dinheiro demais. Casara-se com um baronete arruinado, Sir George Grayle, havia dez anos.

Era uma mulher alta e forte, que, embora não fosse feia, tinha o rosto crispado e cheio de rugas, e cuja maquilagem superabundante apenas acentuava as marcas do tempo e do seu temperamento. Seu cabelo já fora, por seu turno, louro platinado e castanho avermelhado, e, em consequência disso, agora parecia cansado e sem brilho. Ela se enfeitava demais e usava joias em profusão.

— Diga a Sir George — terminou ela ante a silenciosa e inexpressiva srta. MacNaughton —, diga a Sir George que ele *tem* de mandar este homem embora do barco! *Preciso* de isolamento! Depois de tudo que passei ultimamente... — Ela fechou os olhos.

— Sim, Lady Grayle — disse a srta. MacNaughton, e deixou a cabine.

O ofensivo passageiro de última hora ainda estava sentado na cadeira do convés. Estava de costas para Luxor e olhava para o rio Nilo, de onde as colinas distantes surgiam douradas por cima de uma linha verde-escura. A srta. MacNaughton lançou-lhe um olhar ao passar.

Encontrou Sir George no salão de estar. Ele tinha nas mãos um colar e o olhava duvidoso.

— Diga-me, srta. MacNaughton, será que este aqui vai lhe agradar?

A srta. MacNaughton olhou rapidamente para o lápis-lazúli.

— É muito lindo mesmo — disse ela.

— Será que Lady Grayle vai ficar satisfeita, hein?

— Ah, não, não acredito, Sir George. O senhor sabe que *nada a satisfaz*. Essa é que é a verdade. Por falar nisso, ela lhe mandou um recado: quer que o senhor se livre do passageiro extra.

O queixo de Sir George caiu.

— Como é que eu posso? O que é que eu vou dizer ao camarada?

— É claro que o senhor não pode fazer nada. — A voz de Elsie MacNaughton era viva e terna. — Diga apenas que não podia fazer nada.

E acrescentou para encorajá-lo:

— Tudo vai dar certo.

— Você acha que sim, hein? — O rosto dele estava pateticamente cômico.

A voz de Elsie MacNaughton foi ainda mais terna quando respondeu:

— O senhor não deve levar essas coisas muito a sério, Sir George. É a saúde dela, o senhor sabe. Não se aborreça à toa.

— Você acha que ela está mal mesmo, enfermeira?

Uma sombra passou pelo rosto da enfermeira. Havia algo estranho em sua voz quando ela respondeu:

— Sim, eu... não estou gostando do estado de saúde dela. Mas, por favor, não se preocupe, Sir George. O senhor não deve ter mais aborrecimentos. — Ela lhe deu um sorriso amigável e saiu.

Pamela entrou, lânguida e serena, vestida de branco.

— Olá, Nunks.

— Alô, Pam, querida.

— O que o senhor tem na mão? Oh, que lindo!
— Ainda bem que você gostou. Acha que sua tia também vai gostar?
— Ela é incapaz de gostar do que quer que seja. Não sei por que se casou com essa mulher, Nunks.

Sir George ficou calado. Um panorama confuso de azar nas corridas, credores que o perseguiam e uma mulher bonita, embora dominadora, desenrolou-se em seu pensamento.

— Coitadinho — disse Pamela. — Acho que foi obrigado. Mas ela nos inferniza a vida, não é?
— Desde que ficou doente... — começou Sir George.

Pamela o interrompeu:
— Ela não está doente! Não é uma doença mesmo! Ela sempre faz o que quer. Sabe, quando você foi a Assuan ela estava alegre como um passarinho! Aposto que a srta. MacNaughton sabe que a doença é falsa.

— Não sei o que faríamos sem a srta. MacNaughton — disse Sir George com um suspiro.

— É uma criatura eficiente — admitiu Pamela. — Mas, com franqueza, não acho que ela seja tão formidável como diz, Nunks. É isso mesmo. Não vá dizer que não. Você acha que ela é maravilhosa. E, de certa forma, é. Mas parece tão estranha! Nunca sei o que ela está pensando. Mesmo assim, ela manobra muito bem a gata velha.

— Olhe aqui, Pam, você não deve falar assim de sua tia. Que diabo, ela é muito boa para você!

— É, ela paga as nossas contas, não paga? Mas é um inferno de vida, lá isso é.

Sir George mudou para um assunto menos doloroso.

— O que é que nós vamos fazer com este sujeito que vai viajar conosco? Sua tia quer o barco só para ela.

— Bom, dessa vez não vai ser possível — disse Pamela indiferente. — O homem parece muito apresentável. O nome dele é Parker Pyne. Acho que ele era um funcionário civil em algum departamento de estatística... se é que

isso existe. Coisa estranha, parece que já ouvi esse nome antes em algum lugar. Ah, Basil! — O secretário acabara de entrar. — Onde será que já vi o nome Parker Pyne?
— Na primeira página do *Times*. Coluna dos anúncios pessoais — replicou o rapaz prontamente. — "Você é feliz? Se não for, consulte o sr. Parker Pyne."
— Não! Que coisa engraçada! Vamos contar a ele todos os nossos problemas durante a nossa viagem para o Cairo?
— Eu não tenho nenhum — disse Basil West. — Vamos deslizar pelo dourado rio Nilo e ver os templos. — Ele olhou rapidamente para o lado de Sir George, que apanhara um jornal — juntos.
A última palavra fora apenas um sopro, mas Pamela a entendeu. Seus olhos se encontraram.
— Tem razão, Basil — disse ela com alegria. — É bom viver.
Sir George levantou-se e deixou-os. O rosto de Pamela ficou sombrio.
— O que foi que houve, meu bem?
— Minha detestada tia por afinidade...
— Não se aflija — disse Basil depressa. — O que importa o que ela tem na cabeça? Não a contrarie. Sabe — ele riu —, é uma boa política.
A figura bondosa de Parker Pyne entrou no salão. Atrás dele apareceu a figura pitoresca de Mohammed, pronto para recitar o seu papel.
— Senhoras, senhores, vamos começar agora. Em alguns minutos, vamos passar pelos templos de Karnak pelo lado direito. Vou contar a história de um menininho que queria comprar um carneiro assado para o pai...
Parker Pyne enxugou a testa. Acabara de voltar de uma visita ao Templo de Dendera. Montar num jumento, raciocinou ele, não era um exercício condizente com a sua figura. Ia trocar de camisa quando um bilhete colocado sobre sua cômoda lhe chamou a atenção. Ele o abriu. Dizia o seguinte:

*Caro senhor,
ficarei muito agradecida ao senhor se não for visitar o Templo
de Abydos, e permanecer no barco, pois gostaria de consultá-lo.*

*Sinceramente,
Ariadne Grayle*

Surgiu um sorriso no rosto largo e afável de Parker Pyne. Apanhou uma folha de papel e tirou a tampa da caneta.

Cara Lady Grayle (escreveu ele),
sinto muito desapontá-la, mas no momento estou de férias e não posso assumir nenhum compromisso profissional.

Assinou seu nome e mandou a carta por um servente. Quando terminava de se vestir, chegou outra nota.

*Caro sr. Parker Pyne,
sei que o senhor está de férias, mas estou disposta a pagar cem libras por uma consulta.*

*Sinceramente,
Ariadne Grayle*

Parker Pyne ergueu as sobrancelhas. Bateu pensativamente nos dentes com a caneta. Ele queria muito ver Abydos, mas cem libras eram cem libras. E o Egito fora horrivelmente dispendioso, muito mais do que ele calculara.

Cara Lady Grayle (escreveu ele),
não visitarei o Templo de Abydos.

*Sinceramente,
J. Parker Pyne*

A recusa de Parker Pyne em deixar o barco foi um motivo de grande tristeza para Mohammed.

— Templo muito bonito. Todos os meus cavalheiros gostam de ver aquele templo. Arranjo uma condução. Arranjo cadeira, marinheiros carregam o senhor.

Parker Pyne recusou todas essas ofertas tentadoras.

Os outros partiram. Parker Pyne estava curioso e ficou à espera no convés. Nesse instante, a porta da cabine de Lady Grayle se abriu, e ela própria saiu para o convés.

— Que tarde quente! — observou ela com delicadeza. — Vi que o senhor não quis passear, sr. Pyne. Muito discreto de sua parte. Vamos tomar chá juntos no salão?

Parker Pyne levantou-se imediatamente e a seguiu. Ele não podia negar que estava curioso.

Pareceu-lhe que Lady Grayle sentia alguma dificuldade em abordar o assunto. Ela mudava de conversa frequentemente. Mas finalmente falou com a voz alterada:

— Sr. Pyne, o que lhe vou dizer é da mais estrita confidência! O senhor compreende, não é?

— Naturalmente.

Ela fez uma pausa, respirou fundo. Parker Pyne esperou.

— Quero saber se meu marido está ou não me envenenando.

Fosse o que fosse que estivesse esperando, não era absolutamente isso. Demonstrou claramente o seu espanto.

— É uma acusação muito séria que a senhora está fazendo, Lady Grayle.

— Bem, não sou nenhuma tola e nem nasci ontem. Há muito tempo que tenho as minhas suspeitas. George viaja, eu fico melhor. Minha comida não me faz mais mal, e eu me sinto uma mulher diferente. Deve haver uma razão para isso.

— O que a senhora está dizendo é muito sério, Lady Grayle. Deve se lembrar de que não sou um detetive. Sou, se me permite, um especialista em assuntos do coração...

Ela o interrompeu:

— E... não acha que isso me preocupa? Não é um policial que eu quero... posso tomar conta de mim mesma, obrigada. É apenas a certeza que eu quero. Eu preciso *saber*. Não sou uma mulher perversa, sr. Pyne. Sou leal para aqueles que são leais comigo. Negócio é negócio. Cumpri a minha parte. Paguei as dívidas de meu marido e nunca o privei de dinheiro.

Parker Pyne sentiu um ligeiro sentimento de piedade por Sir George.

— E quanto à moça, ela tem muitas roupas, vai a festas e tudo o mais que quer.

— Apenas a gratidão normal é o que eu peço.

— Gratidão não é algo que se possa encomendar, Lady Grayle.

— Tolice! — disse Lady Grayle. Ela continuou: — Bem, é essa a história! Descubra a verdade para mim. Quando eu souber...

Ele a olhou com curiosidade.

— Quando a senhora souber, Lady Grayle, o que vai fazer?

— Aí o problema é meu. — Ela apertou os lábios.

Parker Pyne hesitou um momento e depois disse:

— A senhora vai me perdoar, Lady Grayle, mas tenho a impressão de que não está sendo absolutamente franca comigo.

— Que absurdo! Já lhe disse exatamente o que eu queria descobrir.

— Sim, mas não *por que* quer descobrir.

Ele a olhou nos olhos. Ela baixou os seus primeiro.

— Achei que a razão era evidente por si mesma — disse ela.

— Não, porque eu tenho uma dúvida sobre um determinado ponto.

— Qual é?

— A senhora quer que as suas suspeitas sejam confirmadas ou negadas?

— Francamente, sr. Pyne! — As senhora se pôs de pé, trêmula de indignação.

Parker Pyne balançou a cabeça mansamente.

— Sim, sim — disse. — Mas com isso não respondeu à minha pergunta, não é?

— Oh! — As palavras faltaram.

Ela saiu da sala bruscamente. Sozinho, Parker Pyne ficou muito pensativo. Estava tão mergulhado em seus próprios pensamentos que teve um ligeiro sobressalto quando alguém se sentou a seu lado. Era a srta. MacNaughton.

— Como vocês voltaram cedo — disse Parker Pyne.

— Os outros ainda não voltaram. Eu disse que estava com dor de cabeça e voltei sozinha. — Ela hesitou. — Onde está Lady Grayle?

— Acho que está descansando na sua cabine.

— Ah, então está certo. Não quero que ela saiba que eu voltei.

— Então a senhorita não voltou por causa dela?

A srta. MacNaughton balançou a cabeça negativamente.

— Não, voltei porque queria vê-lo.

Parker Pyne ficou surpreso. Teria dito sem hesitar que a srta. MacNaughton era totalmente capaz de cuidar de seus próprios problemas sem precisar de conselhos de ninguém. Via agora que estava errado.

— Estou observando o senhor desde que embarcamos. Acho que o senhor é uma pessoa de muita experiência e capaz de julgamentos corretos. E eu preciso urgentemente de um conselho.

— E, no entanto... perdoe, srta. MacNaughton... mas não me parece ser do tipo que usualmente pede conselhos. Eu diria que é uma pessoa que se satisfaz plenamente com o seu próprio julgamento.

— Normalmente, sim. Mas estou numa situação muito delicada. — Ela hesitou um instante. — Geralmente não falo a respeito de meus pacientes. Mas creio que é preciso, neste caso específico. Sr. Pyne, quando deixei a Inglaterra com Lady Grayle, ela era um caso simples. Em poucas palavras, não havia nada de mal com ela. Talvez isso não fosse a exata expressão da verdade. Não tinha nada que fazer e tinha dinheiro demais, o que produz uma bem definida condição patológica. Se tivesse alguns assoalhos para esfregar todo dia e umas cinco ou seis crianças para tomar conta, Lady Grayle seria uma mulher perfeitamente sadia e muito mais feliz do que é.

Parker Pyne concordou.

— Como enfermeira de hospital, já vi uma porção de casos de doença de nervos. Lady Grayle *gostava* da sua saúde precária. Meu papel era não minimizar seus sofrimentos, ter todo o tato que pudesse... e me divertir o máximo possível na viagem.

— Muito plausível — disse Parker Pyne.

— Mas, sr. Pyne, as coisas já não são como antes. Os sofrimentos de que se queixa Lady Grayle agora não são mais imaginários, mas reais.

— O que quer dizer com isso?

— Comecei a suspeitar de que Lady Grayle esteja sendo envenenada.

— Desde quando suspeita disso?

— Desde as últimas três semanas.

— Você desconfia de... alguém em particular?

Seus olhos baixaram. Pela primeira vez, sua voz denotava falta de sinceridade.

— Não.

— Acho, srta. MacNaughton, que suspeita de uma determinada pessoa, e que esta pessoa é Sir George.

— Não, não, não acho que ele seja capaz disso! Ele é tão delicado, às vezes parece uma criança. Não poderia ser um assassino a sangue-frio... — A voz dela tinha um toque de angústia.

— E, no entanto, já percebeu que sempre que Sir George se ausenta sua esposa melhora e que seus períodos de recaída correspondem à sua volta.

Ela não respondeu.

— De que veneno desconfia? Arsênico?

— Uma coisa dessas. Arsênico ou antimônio.

— E que providências tomou?

— Tenho feito o que posso para supervisionar tudo o que Lady Grayle come ou bebe.

Parker Pyne concordou com a cabeça.

— Acha que Lady Grayle desconfia de alguma coisa? — perguntou.

— Não, não! Tenho certeza de que não.

— Aí é que a senhorita se engana — disse Parker Pyne. — Lady Grayle *desconfia*.

A srta. MacNaughton demonstrou o seu espanto.

— Lady Grayle é muito mais capaz de guardar segredos do que imagina — disse Parker Pyne. — Ela é uma mulher que sabe o que quer e que faz o que quer.

— Isso me surpreende muito — disse a srta. MacNaughton lentamente.

— Gostaria de lhe fazer mais uma pergunta, srta. MacNaughton. Acha que Lady Grayle lhe quer bem?

— Nunca pensei nisso.

Foram interrompidos. Mohammed entrou, o rosto brilhando, seus mantos flutuando atrás dele.

— Lady, ela sabe que a senhora voltou... pede sua presença. Ela perguntou por que não foi logo vê-la.

Elsie MacNaughton levantou-se às pressas. Parker Pyne também se levantou.

— Um encontro amanhã de manhã cedo seria conveniente? — perguntou ele.

— Sim, seria a melhor hora. Lady Grayle dorme até tarde. Nesse meio-tempo, vou tomar o maior cuidado.

— Acho que Lady Grayle também vai tomar cuidado.

A srta. MacNaughton desapareceu.

Parker Pyne não viu Lady Grayle até pouco antes do jantar. Ela estava sentada fumando um cigarro, e queimava uma coisa que parecia uma carta. Nem olhou para ele, o que o fez imaginar que ainda estava ofendida.

Depois do jantar, ele jogou bridge com Sir George, Pamela e Basil. Todos pareciam um pouco distraídos, e o jogo terminou cedo.

Algumas horas depois, Parker Pyne foi acordado por Mohammed.

— Senhora idosa, ela muito doente. Enfermeira, ela muito assustada. Eu tentei arranjar médico.

Parker Pyne vestiu-se correndo. Chegou à porta da cabine de Lady Grayle ao mesmo tempo que Basil West. Sir George e Pamela já estavam lá dentro. Elsie Mac-

Naughton desvelava-se febrilmente em cuidados com sua paciente. No momento em que Parker Pyne chegou, a pobre senhora foi acometida por uma convulsão final. Seu corpo arqueou-se, contorceu-se e depois enrijeceu. Caiu sobre os travesseiros.
Parker Pyne puxou Pamela gentilmente para o lado de fora.
— Que coisa horrível! — A moça estava soluçando.
— Que coisa horrível! Será que ela está... ela está...?
— Morta? Sim, acho que sim.
Ele a deixou aos cuidados de Basil. Sir George saiu da cabine com um ar atordoado.
— Nunca pensei que ela estivesse doente de verdade — murmurou ele. — Nem me passou pela cabeça.
Parker Pyne passou por ele e entrou na cabine.
O rosto de Elsie MacNaughton estava branco e abatido.
— Eles chamaram um médico? — perguntou ela.
— Sim — disse ele, e depois perguntou: — Estricnina?
— É. Essas convulsões são inconfundíveis. Não, não posso acreditar! — Ela se deixou cair numa cadeira, chorando. Ele bateu levemente em seu ombro para confortá-la.
De repente, uma ideia passou por sua cabeça. Deixou a cabine apressadamente e foi para o salão. Havia um pequenino pedaço de papel que não fora queimado no cinzeiro. Distinguiam-se apenas palavras:

... psula de sonhos
Queime isso!

— Muito bem, isso é muito interessante! — disse Parker Pyne.
Parker Pyne estava sentado no escritório de um alto oficial do Cairo.
— E eis o caso — disse ele pensativo.
— Sim, completo. O homem deve ser um completo idiota.

— Eu não chamaria Sir George de intelectual.
— Mas mesmo assim! — O outro recapitulou: — Lady Grayle pede uma xícara de caldo de carne. A enfermeira prepara. Então, ela pede que coloquem um pouco de *sherry*. Sir George traz o *sherry*. Duas horas depois, Lady Grayle morre com sintomas inconfundíveis de envenenamento por estricnina. Um pacote de estricnina é encontrado na cabine de Sir George e um outro dentro do paletó que usou para o jantar.

— Completo — disse Parker Pyne. — Por falar nisso, de onde veio toda a estricnina?

— Há uma ligeira dúvida a respeito. A enfermeira tinha um pouco, para o caso de o coração de Lady Grayle falhar; mas ela se contradisse uma ou duas vezes. Primeiro disse que o seu suprimento estava intato e, agora, que não está.

— Não é de seu feitio estar em dúvidas — foi o comentário de Parker Pyne.

— A meu ver, os dois estão juntos na história. Acho que têm um fraco um pelo outro.

— Possivelmente, mas, se a srta. MacNaughton estivesse planejando o assassinato, ela o teria praticado de modo bem melhor. Ela é uma moça muito eficiente.

— Bem, o que há é isto. Na minha opinião, Sir George é o culpado. Ele não tem a mínima chance.

— Bem, bem — disse Parker Pyne —, preciso ver o que posso fazer.

Saiu à procura da linda sobrinha. Pamela estava pálida de indignação.

— Nunks nunca teria feito uma coisa dessas. Nunca, nunca, nunca!

— Então quem fez? — perguntou calmamente Parker Pyne.

Pamela se aproximou.

— Sabe o que penso? *Foi ela mesma*. Ela andava muito esquisita ultimamente. Vivia imaginando coisas.

— Que tipo de coisas?
— Coisas estranhas. Basil, por exemplo. Ela vivia jogando indiretas de que Basil estava apaixonado por ela. E Basil e eu estamos... nós estamos...
— Já imaginava isso — disse Parker Pyne sorrindo.
— Tudo isso a respeito de Basil era pura imaginação. Acho que ela estava com ódio do pobre tio Nunks, forjou essa história e a contou para o senhor; depois pôs estricnina na cabine e no bolso dele e se envenenou. Há pessoas que fazem coisas desse tipo, não é?
— Fazem — admitiu Parker Pyne. — Mas não acredito que Lady Grayle tenha feito isso. Se me permite dizer, ela não era desse tipo.
— E suas ilusões sobre Basil?
— Sim, gostaria de perguntar alguma coisa sobre isso ao sr. West.
Ele encontrou o rapaz em seu quarto. Basil respondeu a tudo com rapidez.
— Não quero parecer um tolo, mas ela realmente tinha uma queda por mim. Era por isso que eu não queria que soubesse nada a respeito de Pamela. Ela teria feito Sir George me despedir.
— Então o senhor acha que a teoria da srta. Grayle é plausível?
— Bom, acho que pode ser possível. — O rapaz estava em dúvida.
— Mas não o satisfaz plenamente — disse Parker Pyne devagar. — Não, nós precisamos achar uma teoria melhor. — Ele se perdeu em suas meditações por um ou dois minutos. — Acho que uma confissão seria o melhor — disse com vivacidade. Apresentou a sua caneta e uma folha de papel. — Quer fazer o favor de escrevê-la?
Basil West olhou espantado para ele.
— Eu? O que é que o senhor está insinuando?
— Meu caro rapaz... — Parker Pyne se tornou quase paternal. — Eu sei de tudo. Como foi que conquistou a pobre senhora. Como ela tinha escrúpulos. Como foi

que se apaixonou pela sobrinha, linda e sem vintém. Como foi que arranjou a trama. Envenenamento lento. Poderia passar como morte natural por gastrenterite; se não passasse, seria imputado a Sir George, pois você teve o cuidado de coincidir os ataques com a presença dele. Então houve a sua descoberta de que a senhora suspeitava de tudo e que falara comigo a esse respeito. Uma ação rápida! Apanhou um pouco de estricnina da reserva da srta. MacNaughton. Pôs um pouco na cabine e no bolso de Sir George, e o suficiente numa cápsula, que mandou para a senhora junto com um bilhete, dizendo que era uma "cápsula de sonhos". Uma ideia romântica. Ela a tomaria assim que a enfermeira a deixasse, e ninguém saberia nada a respeito. Mas você cometeu um erro, meu caro rapaz. É inútil pedir a uma mulher que queime suas cartas. Elas nunca o fazem. Tenho toda a sua encantadora correspondência, inclusive a que fala sobre a cápsula.

Basil West estava verde de raiva. Todo o seu ar de bonitão tinha desaparecido. Ele parecia mais um rato numa ratoeira.

— Maldito! — rosnou ele. — Então o senhor sabe de tudo! Seu intrometido abelhudo!

Parker Pyne foi salvo da violência física pela chegada de testemunhas que ele cuidadosamente colocara à escuta atrás da porta semicerrada.

Parker Pyne estava discutindo o caso outra vez com seu amigo, o oficial importante.

— E eu não tinha a menor pista! Apenas um fragmento quase indecifrável, com "queime isso!" escrito. Deduzi toda a história e tentei impingi-la. Funcionou. Acertei em cheio. As cartas fizeram o resto. Lady Grayle tinha queimado mesmo cada bilhete que ele lhe escrevera, *mas disso ele não sabia.*

"Ela era mesmo uma mulher muito estranha. Fiquei intrigado quando me procurou. O que queria era que eu lhe assegurasse que seu marido a estava envenenando. Nesse caso, pretendia fugir com o jovem West. Mas ela queria agir com lealdade. Era uma personagem curiosa."

— Aquela pobre moça vai sofrer muito — disse o outro.

— Ela vai se refazer logo — disse Parker Pyne, insensível. — Ela é jovem. Estou ansioso para que Sir George consiga um pouco de felicidade antes que seja tarde demais. Ele foi tratado como um verme nesses dez anos. Agora, Elsie MacNaughton vai ser boa para ele.

Seu rosto estava risonho. Então deu um suspiro.

— Estou pensando em ir incógnito para a Grécia. Estou *precisando* mesmo de umas férias!

O oráculo de Delfos

Na verdade, a sra. Willard J. Peters não gostava muito da Grécia. E, no fundo, não tinha mesmo opinião nenhuma sobre Delfos.

Os lares espirituais da sra. Peters eram Paris, Londres e a Riviera. Era uma mulher que gostava da vida de hotel, mas a sua ideia de quarto de hotel era um tapete macio, uma cama luxuosa, uma profusão de arranjos de luz elétrica, incluindo uma lâmpada de cabeceira sombreada, enormes quantidades de água quente e fria e um telefone ao lado da cama, de onde ela pudesse mandar vir chá, refeições, águas minerais, coquetéis, e falar com os amigos.

No hotel de Delfos não havia nada disso. Das janelas, a vista era maravilhosa; a cama era limpa e o quarto também, caiado de branco. Havia uma cadeira, uma pia e uma cômoda com gavetas. Os banhos eram marcados com antecedência e, às vezes, decepcionantes no que dizia respeito à água quente.

Ela imaginava que era bom dizer que esteve em Delfos, e a sra. Peters tinha tentado mesmo se interessar pela

Grécia Antiga, mas achou que era muito difícil. Suas estátuas pareciam inacabadas, faltando cabeças, braços e pernas. Secretamente, ela preferia o lindo anjo de mármore, inteirinho com suas asas, que tinha sido erigido sobre o túmulo do falecido sr. Willard Peters.

Mas todas essas opiniões secretas, ela as guardava cuidadosamente para si mesma, com medo de que seu filho Willard a desprezasse. Era por amor a Willard que ela estava ali, naquele quarto frio e desconfortável, com uma empregada rabugenta e um motorista desagradável.

Pois Willard (até bem pouco tempo chamado Júnior, um apelido que ele detestava) era o filho de 18 anos da sra. Peters, e ela o adorava. Era ele quem tinha essa estranha paixão pela arte antiga. Fora ele, magro, pálido, de óculos, dispéptico, que arrastara sua devotada mãe nessa viagem através da Grécia.

Eles tinham estado em Olímpia, que a sra. Peters achara de uma desordem triste. Ela gostara do Partenon, mas quanto a Atenas, ah, essa não tinha jeito, segundo ela. E a visita a Corinto e Micenas fora uma agonia para ela e o motorista.

"Delfos", pensara com tristeza a sra. Peters, "fora a última gota. Não havia absolutamente nada a fazer a não ser andar pela estrada e olhar para as ruínas". Willard passava horas inteiras ajoelhado, decifrando inscrições gregas e dizendo:

— Mãe, escute só isso! Não é formidável? — e lia alguma coisa que parecia à sra. Peters a quintessência da monotonia.

Esta manhã, Willard saíra muito cedo para ver alguns mosaicos bizantinos. A sra. Peters, sentindo instintivamente que os mosaicos bizantinos a deixariam fria (tanto literal como espiritualmente), desculpou-se por não ir.

— Compreendo, mãe — dissera Willard. — A senhora quer ficar sozinha para se sentar no anfiteatro ou no estádio, olhar e se sentir mergulhada na antiguidade.

— É isso mesmo, queridinho — respondera a sra. Peters.

— Eu sabia que este lugar a encantaria — disse Willard exultante, e foi embora.

Agora, com um suspiro, a sra. Peters preparava-se para levantar-se e tomar o seu café. Apenas quatro outras pessoas estavam no refeitório. Uma senhora e sua filha, vestidas com um estilo muito peculiar, na opinião da sra. Peters, que discursavam sobre a arte de expressão na dança; um cavalheiro de meia-idade, gordinho, que a ajudara a tirar a mala quando descera do trem e cujo nome era Thompson; e um recém-chegado, um cavalheiro também de meia-idade, com a cabeça calva, que chegara na tarde anterior. Este personagem foi o último a permanecer na sala de refeições, e a sra. Peters logo puxou conversa com ele. Ela era uma mulher cordial e gostava de ter alguém para conversar. O sr. Thompson tinha sido francamente desanimador em suas maneiras (reserva britânica, dizia a sra. Peters), e a senhora e sua filha eram muito emproadas e intelectuais, se bem que a moça se desse muito bem com Willard.

A sra. Peters achou o recém-chegado uma pessoa muito amável. Era culto sem ser intelectual. Falou-lhe sobre detalhes interessantes e agradáveis da Grécia, que a fizeram sentir que os gregos eram afinal de contas pessoas reais e não apenas a história cansativa e maçante dos livros.

A sra. Peters contou a seu novo amigo tudo sobre Willard: como era um rapaz inteligente e como Cultura poderia facilmente ser seu sobrenome. Havia algo em sua figura afável e bondosa que tornava muito fácil a conversa com ele.

O que ele fazia, ou qual era o seu nome, a sra. Peters não tinha descoberto. Além do fato de estar viajando e de um completo afastamento de seus negócios (que negócios?), ele não era muito comunicativo a respeito de si mesmo.

No todo, o dia passou com mais rapidez do que de costume. A senhora, sua filha e o sr. Thompson continuavam insociáveis. A sra. Peters e seu novo amigo encontraram-se com o sr. Thompson quando este saía do museu, e ele imediatamente virou-se na direção oposta.

O novo amigo observou-o com uma ruga na testa.

— Não imagino quem possa ser este camarada.

A sra. Peters lhe deu o nome do outro, mas não pôde acrescentar mais nada.

— Thompson... Thompson... Não, acho que não o conheço; e, no entanto, o seu rosto me parece familiar. Mas não consigo descobrir de onde.

A sra. Peters aproveitou a tarde para tirar um cochilo num lugar protegido pela sombra. O livro que levara não era o excelente tratado sobre a arte grega recomendado por seu filho, mas, pelo contrário, um outro, intitulado *O mistério da lancha do rio*. Tinha quatro assassinatos, três raptos e uma enorme e variada quadrilha de perigosos malfeitores. A sra. Peters sentiu-se mais animada e contente com a leitura.

Eram quatro horas da tarde quando voltou ao hotel. Ela estava segura de que Willard já devia estar chegando. Tão longe estava de maus pressentimentos que quase se esqueceu de abrir o bilhete que o dono do hotel lhe dera, dizendo ter sido deixado por um homem desconhecido durante a tarde.

Era um envelope muito sujo. Indolentemente, ela rasgou o envelope. Ao ler as primeiras linhas, seu rosto empalideceu e ela se segurou com uma das mãos para se amparar. A letra era estranha, mas a língua empregada era o inglês. Começava assim:

Senhora,

isto é para avisar à senhora que seu filho está em nossas mãos em local de grande segurança. Nada de mal acontecerá ao distinto rapaz se a senhora obedecer a nossas ordens ao pé da letra. Pedimos por ele um resgate de dez mil libras inglesas. Se falar sobre isso ao proprietário do hotel ou à polícia ou a qualquer outra pessoa, seu filho será morto. Este aviso é para que a senhora pense bem. Amanhã a senhora receberá instruções sobre a forma como o dinheiro deverá ser entregue. Se não obedecer, as orelhas do distinto rapaz serão cortadas e enviadas para a senhora. Se no dia seguinte insistir em não obedecer, ele será morto. Mais uma vez, isto não é uma ameaça vã. Pense bem, e, acima de tudo, não fale nada.

Demetrius, o homem das sobrancelhas pretas.

Seria inútil descrever o estado de espírito da pobre senhora. Por mais absurda e infantil que fosse a proposta, ela lhe trouxe uma atmosfera cruel de perigo. Willard, seu garoto, seu queridinho, o sério e delicado Willard! Iria imediatamente à polícia; poria toda a vizinhança em polvorosa. Mas talvez, se fizesse isso... estremeceu.

Então, recompondo-se, saiu à procura do proprietário do hotel, a única pessoa com a qual ela podia falar inglês.

— Já está ficando tarde — disse ela. — Meu filho ainda não voltou.

O simpático homenzinho sorriu para ela.

— Verdade. Monsieur despachou as mulas de volta. Quis voltar a pé. Já devia ter chegado aqui, mas sem dúvida deixou-se ficar pelo caminho. — Sorriu contente.

— Diga-me — disse a sra. Peters bruscamente —, existem pessoas de mau caráter pelas redondezas?

"Mau caráter" não era uma expressão que fizesse parte dos conhecimentos de inglês do homenzinho. A sra. Peters se explicou melhor. Recebeu em resposta a certeza de que todos que viviam em torno de Delfos eram pessoas boas, muito sossegadas; todos sempre simpáticos aos estrangeiros.

As palavras tremeram em seus lábios, mas ela se forçou a engoli-las. A ameaça sinistra refreou sua língua. Podia ser um simples blefe. Mas e se não fosse? Uma amiga na América tivera uma criança raptada e, por ter avisado a polícia, a criança foi morta. Essas coisas acontecem.

Ela estava quase alucinada. O que podia fazer? Dez mil libras — quanto era isso? — alguma coisa entre quarenta e cinquenta mil dólares! O que era isso em comparação com a segurança de Willard? Mas como poderia obter tal soma? Existiam dificuldades sem fim em relação a operações de câmbio e à retirada de dinheiro em espécie. Uma ordem de crédito de algumas centenas de libras era tudo o que tinha em seu poder.

Será que os bandidos compreenderiam isto? Seriam razoáveis? *Esperariam*?

Quando a empregada se aproximou, ela a mandou embora violentamente. Tocou a campainha para o jantar, e a pobre senhora se viu obrigada a ir para o refeitório. Comeu mecanicamente. Não viu ninguém. Por ela, a sala podia estar vazia, que não teria reparado.

Com as frutas, uma nota foi colocada à sua frente. Ela piscou, mas a letra era completamente diferente da que temia ver — era muito inglesa, clara, profissional.

Abriu-a sem muito interesse, mas achou seu conteúdo estranho:

Em Delfos já não se pode consultar o Oráculo, mas pode-se consultar o sr. Parker Pyne.

Anexo havia um recorte de anúncio pregado ao papel e, em cima da folha, uma fotografia para passaporte. Era o retrato de seu amigo careca dessa manhã.

A sra. Peters leu o anúncio duas vezes:

VOCÊ É FELIZ? SE NÃO FOR, CONSULTE O SR. PARKER PYNE.

Feliz? Feliz? Será que alguém já tinha sido tão *infeliz*? Era como se fosse uma resposta às suas preces.

Rapidamente ela escreveu uns rabiscos numa folha de papel limpa que encontrou por acaso em sua bolsa:

Por favor, me ajude. Pode se encontrar comigo do lado de fora do hotel dentro de dez minutos?

Ela a fechou em um envelope e mandou o garçom entregá-lo ao cavalheiro que estava na mesa perto da janela. Dez minutos depois, enrolada num abrigo de pele, pois a noite estava muito fria, a sra. Peters saiu do hotel e se pôs a andar lentamente ao longo da estrada entre as ruínas. Parker Pyne estava à sua espera.

— Foi a providência divina que o trouxe aqui — disse a sra. Peters quase sem fôlego. — Mas como foi que adivinhou o terrível problema que me preocupa? É isso que eu quero saber.

— O comportamento humano, minha cara senhora — respondeu Parker Pyne gentilmente. — Vi logo que havia *algo* errado, mas estava esperando que me contasse.

Ela contou tudo de uma vez. Mostrou-lhe a carta, que ele leu com a ajuda de uma pequena lanterna de bolso.

— Hum... — disse. — Um documento singular. Um documento bastante singular. Há certos pontos...

Mas a sra. Peters não estava em estado para discutir quais os melhores pontos da carta. O que ela devia fazer a respeito de Willard? Seu frágil e querido Willard!

Parker Pyne tentou acalmá-la. Pintou um atrativo retrato da vida dos foras da lei na Grécia. Teriam um cuidado especial com seu prisioneiro, uma vez que ele representava uma mina de ouro em potencial. Aos poucos conseguiu acalmá-la.

— Mas o que devo *fazer*? — lamentou-se a sra. Peters.

— Espere até amanhã — disse Parker Pyne. — Isto é, a menos que prefira ir imediatamente à polícia.

A sra. Peters interrompeu-o com um grito de terror. Seu adorado Willard seria assassinado imediatamente!

— O senhor acha que conseguirei ter Willard de volta são e salvo?

— Não há a menor dúvida — respondeu Parker Pyne para tranquilizá-la. — A única dúvida é se a senhora conseguirá reavê-lo sem ter de pagar as dez mil libras.

— Tudo o que eu quero é o meu menino.

— Sim, sim — disse Parker Pyne, acalmando-a. — Por falar nisso, quem foi que trouxe a carta?

— Um homem que o dono do hotel não conhece. Um estranho.

— Ah! Aí está uma possibilidade! O homem que trouxer a carta amanhã pode ser seguido. O que está dizendo para o pessoal do hotel sobre a ausência de seu filho?

— Não tinha pensado nisso...

— Sei — Parker Pyne refletiu. — Acho que a senhora deve demonstrar com naturalidade que está alarmada e preocupada com sua ausência. Um grupo de buscas deve sair para procurá-lo.

— Não acha que estes demônios... — Ela se engasgou.

— Não, não. Enquanto não houver nenhuma palavra sobre o rapto ou o resgate, eles não se tornarão perigosos. Apesar de tudo, não se pode esperar que a senhora aceite o desaparecimento de seu filho sem nenhum espalhafato.

— Posso deixar por sua conta?

— É este o meu negócio — disse Parker Pyne.

Caminharam de volta para o hotel, mas quase esbarraram numa figura troncuda.

— Quem era? — perguntou rapidamente Parker Pyne.

— Acho que era o sr. Thompson.

— Ah! — disse Parker Pyne. — Seria o Thompson? Thompson... hum...

A sra. Peters pensou ao deitar-se que a ideia de Parker Pyne sobre a carta era muito boa. Fosse quem fosse que a trouxesse, *tinha* de estar em contato com os bandidos. Ela se sentiu consolada e adormeceu mais depressa do que teria imaginado.

Quando se vestia na manhã seguinte, reparou de repente numa coisa caída no chão perto da janela. Apanhou-a e... seu coração quase parou de bater... O mesmo envelope sujo e ordinário, a mesma letra odiada. Ela abriu.

Bom dia, senhora. Já pensou bem? Seu filho está bem e ileso, até agora. Mas nós queremos o dinheiro. Talvez não seja fácil para a senhora conseguir esta quantia, mas nós sabemos que a senhora tem um colar de brilhantes. Pedras muito boas. Ficaremos satisfeitos com ele em vez do dinheiro. A senhora, ou alguém de sua confiança, deverá trazer o colar ao estádio. De lá, vá até onde há uma árvore perto de uma pedra grande. Estaremos observando se vem apenas uma pessoa. Então o seu filho será trocado pelo colar. A hora será amanhã às seis da manhã, logo depois do amanhecer. Se puser a polícia em nosso encalço depois disso, atiraremos em seu filho quando seu carro for para a estação.

Esta é a nossa última carta, senhora. Se não tivermos o colar amanhã, nós lhe mandaremos as orelhas de seu filho. No dia seguinte, ele morrerá.

Minhas saudações, senhora,
Demetrius

A sra. Peters correu para se encontrar com Parker Pyne. Ele leu a carta com muita atenção.

— É verdade — perguntou ele —, o que diz sobre o colar de brilhantes?

— A pura verdade. Meu marido pagou cem mil dólares por ele.

— Nossos ladrões são bem informados — murmurou Parker Pyne.

— O que foi que o senhor disse?

— Estava apenas considerando alguns aspectos deste caso.

— Palavra, sr. Pyne, nós não temos tempo para aspectos. Eu tenho de reaver meu menino.

— Mas a senhora é uma mulher de brio, sra. Peters. Gostaria de ser intimidada e roubada em dez mil libras? Agrada-lhe a ideia de entregar seus diamantes, sem nenhuma reação, para um bando de rufiões?

— Bem, é claro que não, se o senhor coloca as coisas dessa forma! — Os brios da sra. Peters estavam em luta com o seu sentimento materno. — Como eu queria pegar esses sujeitos! Esses brutos covardes! Assim que conseguir meu filho de volta, sr. Pyne, vou pôr toda a polícia para dar uma batida pelas vizinhanças. Se for necessário, alugo um carro blindado para levar Willard e a mim para a estação! — A sra. Peters estava corada e queria vingança.

— Sim — disse Parker Pyne. — Minha cara senhora, é possível que eles estejam preparados para esse gesto de sua parte. Sabem que, uma vez que Willard esteja de volta, nada a impedirá de colocar toda a redondeza em estado de alerta.

— Bem, o que é que o senhor quer fazer?

Parker Pyne sorriu.

— Quero tentar um plano que imaginei. — Olhou em torno da sala de jantar. Estava vazia e ambas as cortinas dos lados estavam fechadas. — Sra. Peters, conheço um homem em Atenas... um joalheiro. Ele é especialista em ótimos diamantes artificiais... um trabalho de primeira classe... — Sua voz era quase um sussurro, agora: — Vou chamá-lo pelo telefone. Ele pode vir aqui hoje à tarde, trazendo uma boa coleção de pedras.

— Quer dizer que...

— Ele vai extrair os diamantes verdadeiros e colocará em seu lugar duplicatas falsas.

— Mas é a coisa mais formidável que já ouvi! — A sra. Peters olhou-o com admiração.

— Shhh! Não fale assim tão alto. Quer me fazer um favor?

— Claro.

— Não deixe ninguém se aproximar do telefone enquanto eu falo.

A sra. Peters concordou com a cabeça.

O telefone ficava no escritório do gerente. Ele o desocupou com gentileza, depois de ter ajudado Parker Pyne a conseguir sua chamada. Quando saiu de lá, encontrou a sra. Peters do lado de fora.

— Estou apenas esperando o sr. Parker Pyne — disse ela. — Vamos dar um passeio.

— Ah, sim, Madame. O sr. Thompson também estava no saguão. Aproximou-se deles e começou a conversar com o gerente. Havia vilas para alugar em Delfos? Não? Mas devia haver alguma perto do hotel?

— Esta pertence a um senhor grego, Monsieur. Ele não a aluga.

— E não há outras vilas?

— Há outra que pertence a uma senhora americana. Fica do outro lado da cidade. Está fechada agora. E ainda há uma que pertence a um senhor inglês, um artista... fica na beira da encosta que dá para Itea.

A sra. Peters entrou na conversa. A natureza lhe dera uma voz alta, e propositadamente, ela falou bem alto.

— Ah! — disse ela.— Eu adoraria ter uma vila aqui! É tão singelo, tão natural. Estou simplesmente encantada com o lugar, não acha, sr. Thompson? Mas é claro que o senhor também deve estar gostando, para querer alugar uma vila. É a primeira visita que faz aqui? Não diga!

Continuou com determinação, até que Parker Pyne saísse do escritório. Ele lhe dirigiu um leve sorriso de aprovação.

O sr. Thompson desceu lentamente os degraus e se dirigiu para a estrada, onde se juntou com a mãe intelectual e sua filha, que pareciam estar sentindo frio nos braços nus.

Tudo correu bem. O joalheiro chegou um pouco antes do jantar em um ônibus cheio de outros turistas. A sra. Peters levou o colar até o quarto dele. Ele deu um murmúrio de aprovação.

— Madame pode ficar tranquila. Vou fazer o trabalho. — Ele tirou algumas ferramentas de uma pequena sacola e começou a trabalhar.

Às onze horas, Parker Pyne bateu à porta do quarto da sra. Peters.

— Aqui está!

Ele lhe entregou uma bolsinha de camurça. Ela deu uma olhada.

— Meus diamantes!

— Silêncio! Aqui está o colar com as pedras falsas no lugar dos diamantes. Muito bom, não ficou?

— Simplesmente maravilhoso.

— Aristopoulos é um sujeito esperto.

— Não acha que eles vão suspeitar?

— Como? Eles sabem que a senhora está com o colar. A senhora vai entregá-lo. Como podem desconfiar desse ardil?

— Bem, acho que é maravilhoso — disse outra vez a sra. Peters, entregando-lhe o colar de volta. — Será que o senhor pode levá-lo para eles? Ou será que é pedir-lhe muito?

— É claro que posso levá-lo. Dê-me apenas a carta para que eu possa ter a direção sem enganos. Obrigado. Agora, boa noite e *bon courage*. Seu filho estará aqui amanhã para tomar café.

— Tomara que sim!

— Vamos, não se preocupe. Deixe tudo por minha conta.

A sra. Peters não teve uma boa noite. Quando dormiu, teve sonhos horríveis. Sonhos onde bandidos armados em carros blindados abriam uma fuzilaria contra Willard, que descia correndo de uma montanha, de pijama. Ficou satisfeita por acordar. Finalmente surgiu o primeiro lampejo da aurora. A sra. Peters se levantou e se vestiu. Ficou sentada — à espera.

Às sete horas bateram à sua porta. Sua garganta estava tão seca que ela quase não pôde responder.

— Entre — disse ela.

A porta abriu, e entrou o sr. Thompson. Ela olhou para ele. Faltaram-lhe as palavras. Teve um pressentimento sinistro de desgraça. E, entretanto, quando ele falou, sua voz era absolutamente tranquila. Era uma voz suave, agradável.

— Bom dia, sra. Peters — disse ele.

— Como se atreve, senhor! Como se atreve...

— A senhora deve-me desculpar esta visita tão extemporânea e a uma hora tão matinal — disse o sr. Thompson. — Mas, como vê, tenho um pequeno negócio a resolver.

A sra. Peters avançou para a frente com olhos acusadores.

— Então foi o senhor quem raptou meu menino! Não eram bandidos afinal!

— É lógico que não eram bandidos. Achei aquela parte, aliás, muito pouco convincente. No mínimo, muito sem gosto, eu diria.

A sra. Peters era uma mulher de uma só ideia.

— Onde está o meu filho? — perguntou ela com olhos de uma onça raivosa.

— Para falar a verdade — disse o sr. Thompson —, ele está atrás da porta.

— Willard!

A porta escancarou-se. Willard, pálido, de óculos e com a barba por fazer, foi esmagado contra o coração de sua mãe. O sr. Thompson ficou ali de pé, bondosamente observando a cena.

— De qualquer jeito — disse a sra. Peters, recompondo-se de repente e voltando-se para ele —, vou pôr a polícia em cima do senhor. Ah, sim, é o que eu vou fazer.

— A senhora não está entendendo nada, mãe — disse Willard. — Foi este senhor quem me salvou.

— Onde é que você estava?

— Numa casa sobre a encosta. A um quilômetro e meio daqui.

— E permita-me, sra. Peters — disse o sr. Thompson —, devolver-lhe o que lhe pertence.

Entregou-lhe um pequeno pacote mal amarrado em papel de embrulho. O papel caiu, revelando o colar de brilhantes.

— Não precisa guardar o outro saquinho de pedras, sra. Peters — disse o sr. Thompson sorrindo. — As pedras verdadeiras ainda estão no colar. O saquinho de camurça contém algumas ótimas pedras de imitação. Como disse o seu amigo, Aristopoulos é quase um gênio.

— Não estou entendendo nem uma palavra — disse a sra. Peters debilmente.

— Deve observar este caso do meu ponto de vista — comentou o sr. Thompson. — O que me chamou a atenção foi um determinado nome. Tomei a liberdade de seguir a senhora e seu amigo gorducho por detrás das portas e ouvi tudo... admito com franqueza... tudo sobre a sua conversa altamente interessante. Achei-a tão extraordinariamente sugestiva que fiz minhas confidências ao gerente. Ele tomou nota do número que o seu possível amigo chamou pelo telefone, e fez também com que um garçom escutasse a sua conversa ontem de manhã no refeitório.

"O plano funcionou às mil maravilhas. A senhora ia sendo vítima de uma dupla de vivíssimos ladrões de joias. Eles sabiam sobre o seu colar de brilhantes; seguiram-na até aqui; raptaram seu filho; escreveram aquela quase cômica carta dos 'bandidos'; e conseguiram que a senhora confiasse no chefe e inspirador do conluio.

"Depois, foi tudo muito simples. O gentil cavalheiro lhe entrega a bolsinha com os brilhantes falsos... foge com seu companheiro. Hoje de manhã, se seu filho não aparecesse, a senhora ficaria desesperada. A ausência de seu amigo levaria a crer que ele também fora raptado. Imagino que eles tenham arranjado alguém para ir até a vila amanhã. Esta pessoa descobriria seu filho, e aí, então, os dois raciocinando juntos, talvez descobrissem uma vaga insinuação do plano. Mas a essas horas os bandidos já estariam longe."

— E agora?

— Ah, agora eles estão bem seguros atrás das grades. Já arranjei tudo.

— Aquele bandido — disse a sra. Peters, relembrando furiosa as suas próprias confidências. — Aquele patife falador e sem-vergonha!
— Um camarada muito à toa — concordou o sr. Thompson.
— Não posso imaginar como foi que descobriu — disse Willard com admiração. — Foi genial de sua parte.
O outro balançou a cabeça modestamente.
— Não, não — disse. — Quando se está viajando incógnito e se escuta o seu próprio nome ser proclamado por aí...
A sra. Peters olhou-o.
— Quem é o senhor? — perguntou ela inopinadamente.
— Eu sou o sr. Parker Pyne — explicou o cavalheiro.